Manon Steffan Ros

Argraffiad cyntaf: 2016

Cynllun y clawr: Sion Ilar

Rhif Llyfr Rhyngwladol: 978 1 78461 318 1

Dymuna'r cyhoeddwyr gydnabod cymorth ariannol Cyngor Llyfrau Cymru

Cyhoeddwyd ac argraffwyd yng Nghymru
ar bapur o goedwigoedd cynaladwy gan
Y Lolfa Cyf., Talybont, Ceredigion SY24 5HE
e-bost ylolfa@ylolfa.com
gwefan www.ylolfa.com
ffôn 01970 832 304
ffacs 01970 832 782

1

DWI DDIM YN gwybod beth fyddwch chi'n ei feddwl o'r stori yma. Mae'n bosib iawn na wnewch chi goelio gair. Mae hi'n anodd i bobol gredu bod pethau fel hyn yn digwydd i bobol gyffredin fel fi. Does 'na ddim byd arbennig amdana i o gwbl, 'dach chi'n gweld – dwi fel pob hogyn deuddeg oed arall. Dwi'n licio chwarae gêmau a gwylio'r teledu a mynd i'r parc efo fy ffrindiau. Dwi ddim yn ofnadwy o glyfar, nac yn arbennig o dalentog ar y cae pêl-droed. Nid fi ydi'r un mwyaf poblogaidd yn y dosbarth, ond nid fi ydi'r un lleiaf poblogaidd chwaith. Dwi'n union fel pawb arall.

Do'n i ddim yn coelio mewn ysbrydion tan yr haf dwytha. A dwi dal ddim yn deall yn iawn, ond efallai y byddwch chi'n dallt, erbyn gorffen darllen y stori, beth ddigwyddodd i fi yn ystod gwyliau'r haf.

Roedd Nain yn byw ar Stryd Fawr Llangefni – y stryd 'na yn y canol, efo siopau bach bob ochr a thraffig yn chwyrnu bob awr o'r dydd. Yn y topiau mae Nain yn byw, ddim yn bell o'r hen reilffordd, efo siop trwsio cyfrifiaduron ar un ochr iddi a siop trin gwallt ar yr ochr arall.

"Iw-hw!" gwaeddais wrth i mi agor drws y ffrynt a chamu dros y trothwy. "Fi sy 'ma!"

Roedd Radio Cymru ymlaen ganddi, a'r arogl hyfryd, glân yna sydd wastad yn nhŷ Nain yn llenwi'r lle. Wnaeth hi mo 'nghlywed i – roedd 'na gân roc ddigon swnllyd ar y radio – ond doedd dim ots. Chafodd hi ddim syndod o 'ngweld i'n ymddangos yn y gegin gefn.

"Helô, 'ngwas i! Tyrd ti rŵan, stedda di lawr fan hyn." Tynnodd ei dwylo o'r fowlen golchi llestri a'i sychu ar ei ffedog, cyn ymestyn am gacen siocled fawr a thorri triongl tew i mi. "Milc shêc, yr aur?"

Gwell i mi esbonio un peth rŵan, cyn i chi gael y darlun anghywir o Nain. Achos mae'r union air yna – Nain – yn gwneud i rywun feddwl am ddynes fach daclus, gyda gwallt llwyd, cyrliog, rhywun sy'n gwisgo siwtiau bach di-siâp ac sy'n cerdded yn araf ac yn siarad mewn llais bach tawel. Rhywun eiddil.

Doedd Nain ddim fel ’na.

Roedd Nain yn hen, roedd hynny’n ddigon gwir, yn wyth deg pump oed, bron iawn, a doedd hi ddim yn gallu cerdded mor gyflym ag yr oedd hi flynyddoedd yn ôl. Ond roedd hynny oherwydd, tan tua degawd yn ôl, bod Nain yn arfer cwblhau Ras yr Wyddfa am sbort, ac yn meddwl dim am gerdded ugain milltir y dydd. Roedd hi’n gwisgo dillad ffasiynol – jîns, sodlau uchel, ffrogiau bach – ac roedd ei gwallt hi’n hir, yn syth, ac yn ddu fel y frân. Welais i ’rioed mohoni heb golur yn duo’i llygaid, a doedd dim byd yn ddiflas nac yn arferol amdani. Roedd hi’n unigryw.

“Sut beth ydi’r gacen? Ro’n i’n licio’i golwg hi yn y siop.”

“Grêt, Nain, diolch.”

“Sut oedd yr ysgol, ’ngwas i?”

“Go lew. Blincin rhannu hir yn dal i ’nrysu i.”

Wfftiodd Nain. “Rhannu hir! I be maen nhw’n wastio’u hamser yn dysgu petha fel ’na i chi pan ma rhywun ’di mynd i’r drafferth i ddyfeisio cyfrifiannell?!”

Ydach chi’n gweld be dwi’n feddwl am Nain? Roedd hi’n dweud y math yna o beth o hyd.

Ac os oedd hi'n dechrau dweud ei dweud am ysgolion...

"Ysgolion!" poerodd Nain fel petai'n rhegi. "Yn dysgu rhannu hir i chi, ond ddim yn dysgu sut i goginio pasta! Am fyd rhyfedd 'dan ni'n byw ynddo..."

Gwenais wrth fochio'r gacen. Y gwir oedd, ro'n i'n falch i glywed Nain yn mynd ar gefn ei cheffyl. Roedd Dad wedi sôn cwpl o weithiau yn ddiweddar ei fod o'n poeni amdani – ei bod hi'n mynd yn anghofus – ond yn amlwg, doedd dim llawer i boeni yn ei gylch os oedd hi'n dal i fedru cwyno fel hyn. Poenwr fuodd Dad erioed.

Arhosais efo Nain am ychydig, yn sgwrsio ac yn hel clecs. Yn ôl ei harfer, roedd Nain yn mynnu fy mwydo i tan 'mod i bron yn methu symud, efo'r mathau o fwyd roedd fy rhieni'n dweud eu bod yn ddrwg i mi. Sgwrsiodd Nain wrth nôl mwy a mwy o fwyd i mi. Roedd hi wedi bod am dro gyda'i sbienddrych yn gwylio adar. Roedd hi wrth ei bodd efo adar.

"Mae 'na golomen sy'n dod at y ffenest pan fydda i'n golchi'r llestri. Dwi wedi dechrau gadael briwsion bisgedi iddi hi."

"Be? Mae colomennod yn bwyta bisgedi?"

"Ew yndyn, mae adar wrth eu boddau efo bisgedi, wsti. Pan oedd 'Nhad yn cadw colomennod, ro'n i'n arfer rhannu fy nghacenni cri a 'misgedi cyrains efo nhw."

Edrychais i fyny ar y llun o fy hen daid, tad Nain, ar wal y gegin. Dyna oedd yr unig beth yn nhŷ Nain nad o'n i'n ei hoffi. Roedd o'n ddyn tal, tenau, gyda mwstásh trwchus, ac roedd o'n edrych ar y camera gyda golwg ddifrifol iawn ar ei wyneb, heb fymryn o wên. Doedd o'n ddim byd tebyg i Nain.

Ar ôl ychydig mwy o sgwrsio a bwyta llond bol o siocled, codais ar fy nhraed, ffarwelio efo Nain a rhoi sws fach iddi, cyn camu drwy'r drws i'r stryd. Do'n i heb gyrraedd y goleuadau traffig cyn i mi sylweddoli i mi adael fy mag ysgol yn y tŷ, felly yn ôl â fi.

"Fi sy 'ma eto!" bloeddiais wrth groesi'r trothwy. "Nain? Wnes i anghofio fy mag!" Roedd hi wedi diffodd y radio, mae'n rhaid, achos doedd dim un smic yn y tŷ, felly cerddais drwodd i'r gegin gefn lle ro'n i wedi ei gadael hi.

Dwn i ddim beth oedd mor ddychrynllyd am y ffordd roedd hi'n edrych, yn eistedd yna mewn cadair wrth y bwrdd, yn gwneud dim byd. Y ffaith ei bod hi'n eistedd yn llonydd mewn tawelwch, efallai, neu'r wên gyffrous roddodd hi i mi pan welodd hi fi. Nid gwên Nain oedd hi, ond gwên merch fach.

"Hywel!" gwichiodd Nain mewn llais geneth fach, gan lamu ar ei thraed i lapio'i braich o'm cwmpas i. "Ti 'di dod adre!"

A dyna pryd y gwyddwn i fod Nain yn sâl. Achos Huw ydw i, nid Hywel. Brawd Nain oedd Hywel, ac roedd o wedi marw bron i saith deg mlynedd yn ôl, yn yr Ail Ryfel Byd.

2

"TI'N IAWN, WYT?" gofynnodd Kieran dros sŵn y gêm bêl-droed ar y cyfrifiadur.

"Yndw."

"Achos ti'n rybish yn y gêm 'ma heddiw."

Ysgydwais fy mhen, er ei fod o'n dweud y gwir. "Dim ond angen c'nesu ydw i."

Do'n i ddim wedi dweud wrth Kieran am beth ddigwyddodd efo Nain, achos ro'n i'n methu penderfynu sut i esbonio. A bechod drosto fo wedyn – sut oedd o i fod i ymateb? *Sori fod dy nain yn mynd yn dwlál?* Doedd pobol jyst ddim yn siarad am bethau fel 'na. Ac roedd pawb wrth eu boddau efo Nain. Gan fod ei thŷ hi'n cefnu ar y maes parcio mawr a Nant y Pandy, y tir gwyllt a'r afon, byddai'n barod amdana i a chriw o fy ffrindiau gyda lemonêd oer a hufen iâ ar ddyddiau o haf pan fydden ni'n gwneud dim ond torheulo a phadlo yn y dŵr. Roedd pawb wedi gwirioni efo hi, pawb yn eiddigeddus fod gen i nain mor cŵl.

Do'n i ddim yn barod i ddweud wrthyn nhw ei bod hi'n dechrau troi yn rhywun arall.

Roedd Nain wedi sylweddoli'n ddigon sydyn nad Hywel o'n i. Roedd hi fel petai wedi deffro o gwsg rhyfedd, a dweud "Hywel, wir! Be sy haru fi? Nid Hywel wyt ti, siŵr!" cyn cario 'mlaen fel petai dim wedi digwydd. Ond ro'n i wedi gorfod dweud wrth Mam a Dad y noson honno, achos roedd o'n teimlo fel y peth iawn i'w wneud. Ond os o'n i wedi gobeithio y byddai trafod y peth yn gwneud i mi deimlo'n well, wel, ro'n i'n anghywir.

Dros swper o spag bol lympiog, gwnaeth Dad restr o symptomau Nain. Doedd o ddim yn edrych yn ddrwg i ddechrau – pethau bach, pethau y byddai unrhyw un yn gallu eu hanghofio. Ond wrth i ni drafod, roedd mwy a mwy o arwyddion fod Nain yn sâl wedi dod i'r fei:

1. Roedd hi wedi anghofio lle gadawodd hi oriadau ei char, a chynhyrfu am ei bod hi am fynd ar drip i Fangor ac yn methu mynd. Daeth y goriadau i'r fei mewn bag siopa plastig o dan y sinc. (Do'n i ddim yn meddwl bod hyn yn ddifrifol iawn. Wedi'r cyfan, roedd Mam neu Dad yn colli eu goriadau o hyd ac o hyd, neu'n gadael pethau gwerthfawr mewn

llefydd gwirion. Doedd neb wedi anghofio'r adeg wnaeth Mam roi ei phwrs yn y bin ar ddamwain.)

2. Byddai'n dod yn ôl o'r siop wedi anghofio prynu ambell beth, er bod popeth wedi ei sgwennu ar restr ganddi. Ond doedd hyn ddim yn broblem – medrwn i redeg i lawr i'r archfarchnad i nôl llefrith neu fag o nionod iddi. Ond nid dyna oedd y pwynt. (Unwaith eto, do'n i ddim yn meddwl bod hyn yn ddifrifol. Efallai ei bod hi'n cwrdd â phobol roedd hi'n eu hadnabod yn y siop, ac yn anghofio beth oedd ganddi yn ei throli wrth sgwrsio. Roedd Dad yn anghytuno. Dywedodd o fod hynny'n hollol resymol heblaw fod Nain wedi bod yn mynd i'r un siop ers bron i hanner canrif, efo'r un rhestr, a phrynu'r un pethau bob tro. Dim ond yn ddiweddar roedd hi wedi dechrau anghofio.)

3. Dywedodd Mam ei bod hi'n meddwl bod Nain yn osgoi defnyddio enwau, am ei bod hi'n trio cuddio'r ffaith ei bod hi'n anghofio pwy oedden ni. Ro'n i ar fin protestio am hyn. Wrth gwrs ei bod hi'n gwybod pwy o'n i, ro'n i'n mynd ati bron bob dydd ar ôl ysgol! Ond cyn i mi ddweud unrhyw beth, cofiais faint roedd hi'n fy ngalw i'n "'ngwas i" neu "'machgen i". Pryd oedd y tro dwytha iddi fy

ngalw i'n Huw? Oedd hi wir wedi anghofio?

4. Byddai'n cael yr un sgyrsiau efo ni i gyd. Fe wnaeth y ffaith yma fy nychryn i, mae'n rhaid i mi gyfaddef. Mam wnaeth ofyn i Dad wrth iddi bigo ar ei spag bol,

"Am be mae hi'n siarad efo ti, Mei?" ac atebodd Dad,

"Yr un pethau, fel arfer. Dweud bod 'na fwy o draffig ar y lôn na fuo 'na. A sôn mor glên ydi'r merched sy'n gweithio yn y llyfrgell. A dweud am yr..."

"... ysgolion." Gorffennais i'r frawddeg dros Dad. "Dweud nad ydyn nhw'n dysgu'r pethau iawn dyddia 'ma."

Ac edrychodd Mam a Dad a finnau ar ein gilydd a sylweddoli mai'r un sgyrsiau roedd Nain wedi bod yn eu cael ers misoedd, dro ar ôl tro, dim ond fod y bobol yn newid.

5. 'Adar Mân y Mynydd'. Hen gân Gymraeg ydi hi, un ofnadwy o drist a digalon, a ddim yn gweddu i Nain rywsut. Dynes oedd yn licio Queen ac Abba oedd Nain, yn gwybod pob gair o bob cân bop oedd ar y radio, a'i bryd hi ar gerddoriaeth oedd yn llawn egni a hwyl. Miwsig i ddawnsio iddo fo. Ond

yn ddiweddar, roedd hi wedi dechrau canu ambell linell o'r hen gân Gymraeg dan ei gwynt, fel petai ar ei meddwl o hyd. 'Yr eos aaaaaa'r glân hedydd ac adar maaaaaaaan y mynydd...' Doedd gen i ddim clem beth oedd 'glanhedydd', ond mae'n rhaid i mi gyfaddef bod y newid o 'Another One Bites the Dust' i 'Adar Mân y Mynydd' wedi 'mhoeni i.

6. Ychydig wythnosau yn ôl, roedd Dad wedi piciad i lofft Nain i drwsio ffenest oedd wastad yn sticio. Cafodd syndod o weld bod ei bwrdd pincio hi wedi cael ei orchuddio gan hen luniau du a gwyn – rhieni Nain, oedd wedi hen farw wrth gwrs, a'i brawd, Hywel, oedd wedi ei ladd yn yr Ail Ryfel Byd; lluniau o Dad yn hogyn bach, ac o Taid, oedd wedi marw pan o'n i'n fabi. (Mi gefais i syndod mawr o glywed hyn hefyd, achos roedd Nain yn casáu hen bobol yn mynd 'mlaen a 'mlaen am yr hen ddyddiau yn lle mwynhau'r dyddiau oedd ganddyn nhw ar ôl. Am y tro cyntaf erioed, wrth feddwl am yr holl luniau yna yn ei llofft, dechreuais deimlo bechod dros Nain. Tybed oedd hi'n meddwl am yr hen ddyddiau'n aml?)

7. A'r arwydd amlwg – roedd Nain wedi 'nghamgymryd i am ei brawd, Hywel. Wrth gwrs,

roedd pobol yn cymysgu enwau o hyd, ond nid efo pobol oedd wedi marw flynyddoedd maith yn ôl. Doedd hynny ddim yn teimlo'n iawn.

"Mae arna i ofn ei bod hi'n edrych ar y lluniau 'na yn ei llofft, yn meddwl am ei brawd, ac yn dechrau ffwndro rhwng rŵan ac ers talwm. Achos dydi hi 'rioed wedi licio siarad am Hywel. Do'n i ddim yn gwybod bod ganddi luniau ohono fo," meddai Dad gan ysgwyd ei ben, wedi hen roi'r gorau i'w sbageti. "Fyddwn i ddim wedi gwybod mai fo oedd o heblaw fod ei enw fo ar gefn y llun."

"Ond does 'na ddim llawer y medrwn ni ei wneud am hynny, nag oes?" meddai Mam yn ddigalon. "Dydi hi ddim yn deg gofyn iddi beidio â sbio ar hen luniau, yn enwedig os ydi hynny'n rhoi cysur iddi."

Mam oedd yn iawn, wrth gwrs. Yn araf, wrth i'r wythnosau a'r misoedd fynd heibio, dechreuodd Nain symud ei hen luniau o'r llofft i'r lolfa a'r gegin, a symud rhyw bethau bach oedd yn sicr o fod â stori ynghlwm â nhw – tedi bach blêr yn eistedd ar ben y rhewgell, llun gan blentyn o flodyn haul ar y silff ben tân, casgliad o wahanol blu mewn ffrâm. Weithiau, byddwn i'n gofyn, "Pwy oedd biau'r tedi, Nain?" neu "Sut foi oedd Hywel?" Ond cario 'mlaen fel petai hi ddim wedi clywed fyddai Nain, a siarad am y traffig ar y stryd, neu'r merched clên oedd yn gweithio yn y llyfrgell, neu ganu hen gân ddigalon dan ei gwynt.

Does dim rhaid i mi esbonio wrthoch chi ei bod hi'n gyfnod anodd iawn. A wnaeth o ddim digwydd dros nos, ond yn araf, dros fisoedd o amser. Ro'n i'n dal i fynd i'w gweld hi bob dydd, ac yn dal i fwynhau ei chwmni. Yr un un oedd hi, wedi'r cyfan – yr un ddynes oedd yn gwisgo lipstig i biciad i'r siop ac yn bwyta popcorn wrth wylio *Pobol y Cwm*. Ond roedd y lipstig yn flêr rŵan, fel ceg clown, a'i gwallt du wedi cael llonydd i bylu a dangos y blewiach gwyn. Dechreuodd edrych yn od.

Mae'n rhaid fod pethau wedi effeithio arna i rhyw fymryn, achos dyna pryd dechreuodd yr hunllefau.

Ro'n i wedi cael hunllefau o'r blaen, wrth gwrs. Bwystfil yn rhedeg ar fy ôl i, neu hen wrach yn gwenu arna i'n filain. Ond roedd y rhai diweddaraf yn hunllefau gwahanol. Pan fyddwn i'n deffro, byddwn yn cofio pob manylyn. A dweud y gwir, rydw i'n dal i'w cofio nhw rŵan. Nid bod 'na lawer o fanylion i'w cofio. A dyna oedd yn gwneud yr hunllefau mor ofnadwy. Roedden nhw mor real, ac yn union yr un fath bob tro.

Yn yr hunllef, gallwn weld fy hun yn cysgu yn fy ngwely, a'r holl bethau o'm cwmpas i – y cyfrifiadur ar y ddesg, y bag ysgol yn y gornel, fy nillad yn dwmpath blêr yng nghanol y llawr. Popeth yn union fel y dylai fod, heblaw am un peth.

Y cysgod ar y carped.

Fedrwn i ddim gweld pwy oedd yn sefyll allan yno ar y landin, ond roedd pwy bynnag oedd o yn dal, yn llonydd ac yn syllu arna i'n cysgu.

3

Does 'na ddim teimlad gwell yn y byd na diwrnod ola'r ysgol cyn gwyliau'r haf. Mae o'n well na diwrnod Dolig hyd yn oed, achos mae hi'n braf, ac mae'n teimlo fel oes tan bydd yr ysgol yn ailddechrau ym mis Medi. Mae pobol yn gallu newid yn gyfan gwbl mewn chwech wythnos. Mae pob dim sy'n dda i unrhyw beth yn digwydd yn ystod gwyliau'r haf.

Roedd fy nhîm i wedi ennill ar y cae rygbi am unwaith, ac mi lwyddais i osgoi tacl gan Jake, y chwaraewr mwya budr yn yr ysgol. Roedd yr haul yn gwenu, yr athrawon yn glên, a dosbarthiadau a choridorau'r ysgol yn teimlo fel un parti mawr. Roedd hyd yn oed Miss Matthews yn fodlon i ni wylio ffilm am yr Ail Ryfel Byd yn lle gwneud gwaith go iawn. Prin wnes i wylio'r ffilm o gwbl, chwaith, achos ro'n i a Kieran yn pasio nodiadau yn ôl ac ymlaen at ein gilydd drwy'r wers. Wel, chwarae teg, doedd dim disgwyl i ni ganolbwyntio ar ffilm ddigalon yn ystod gwers ola'r tymor, nag oedd?

Yn araf, araf, symudodd y bys mawr ar y cloc tuag at y chwech, a gallwn arogli gwyliau'r haf yn nesáu. Am bum munud ar hugain wedi tri, diffoddodd Miss Matthews y sgrin, a dosbarthu darn o bapur yr un i ni.

"Prosiect gwaith cartref, bois," meddai. "Mae o'n gorfod bod i mewn ar ôl yr haf, a dwi isio i chi ddefnyddio gwahanol ffynonellau, nid dim ond y rhai gewch chi ar y we. Dim *cut and paste* o wefannau, ac yndw, dwi'n siarad efo chdi, Kieran Lloyd."

Roedd Kieran wedi mynd i goblyn o drwbwl am gymryd ei atebion oddi ar ryw wefan ychydig fisoedd ynghynt.

"Prosiect arall!" cwynais wrth stwffio'r darn papur i'm bag. "Ar ben y prosiect daearyddiaeth, a'r holl lyfra 'na i'w darllen. Isio mynadd!"

"*Cwblhewch brosiect ar sut yr effeithiwyd ar eich teulu chi gan yr Ail Ryfel Byd,*" darllenodd Kieran. "Hawdd! Piciad i'r llyfrgell a ffotocopïo cwpl o luniau o lyfrau, *cut and paste* a Google Translate i betha ar y we. 'Di o ddim fatha bod Miss Matthews yn gwybod hanes ein teuluoedd ni yn y rhyfel, nac ’di? Mi fedri di ddweud unrhyw beth lici di!”

“Mae’n haws jyst gwneud y gwaith yn iawn,” meddai Clare, y ferch oedd yn eistedd y tu ôl i ni. “’Sa’n cymryd llai o amser i wneud y prosiect na wneith o i chwilio am waith pobol eraill ar y we.”

Gwgodd Kieran, a rholio’i lygaid. Dwi’n meddwl ei fod o’n gwybod bod gan Clare bwynt.

“Roedd gan Nain ryw frawd fuodd farw yn yr Ail Ryfel Byd – Hywel Rowlands. Dwi’n siŵr bydd ’na ddigon o betha amdano fo ar y we,” meddwn i’n ddigon bodlon.

“Mae Miss Matthews newydd ddeud bod angen mwy na jyst yr hyn sydd ar y we,” meddai Clare yn biwis. Dwi’n meddwl ei bod hi’n eiddigeddus am ’mod i’n gwybod yn barod am bwy o’n i am greu fy mhrosiect.

Ymestynnais i roi fy meiro yn ôl yn fy nghas pensiliau, a synnu o weld bod un bluen wen yno ymysg y pensiliau a’r ffelt tips. Doedd o ddim yno yn gynharach – fyddwn i wedi sylwi!

“Chdi roddodd hwn fa’ma?” gofynnais i Kieran. Ysgydwodd hwnnw ei ben, ac ro’n i ar fin dweud rhywbeth arall pan ddaeth fy hoff amser o’r flwyddyn. Canodd y gloch am y tro olaf y tymor hwnnw, a dechreuodd pawb yn y dosbarth weiddi a chlapio. Mi wnes i sylwi bod hyd yn oed Miss Matthews wedi dweud "Yesss!" bach tawel, gan wenu iddi hi ei hun. Ac mi anghofiais i bob dim am y bluen a'r prosiect wrth i Kieran a finnau ruthro i'r coridor, drwy'r drysau ac allan i awyr iach a rhyddid y gwyliau.

A dyma ni wedi cyrraedd y digwyddiad annisgwyl cyntaf yn y stori. Ond diolch byth ei fod o wedi digwydd, er nad o'n i'n hapus iawn i glywed cnoc ar ddrws y tŷ ar fore Llun cynta'r gwyliau.

Dwi'n dweud *bore* dydd Llun, ond mae'n siŵr ei bod tua un o'r gloch y pnawn mewn gwirionedd. Chymerodd hi ddim yn hir i fi fynd i'r patrwm o fynd i'r gwely'n hwyr a chodi'n hwyr. Ro'n i wedi bod yn gwylio ffilm ar y teledu tan tua hanner nos, ac wedyn wedi cael brechdan menyn cnau, ac wedi chwarae pêl-droed ar y cyfrifiadur cyn mynd i gysgu. Ro'n i'n dal yn fy mhyjamas pan glywais i'r gnoc ar y drws, a newydd arllwys bowlaid anferthol o gornfflecs i mi fy hun.

"Clare?!" ebychais mewn syndod wrth ei gweld hi'n sefyll ar garreg y drws, ei bag ysgol ar ei chefn. Edrychodd hithau'n ôl arna i, heb drafferthu cuddio'r dirmyg ar ei hwyneb. Beth yn y byd oedd hon yn ei wneud yn dod i 'ngweld i? Prin oedden ni'n siarad efo'n gilydd yn yr ysgol o gwbl...

"Ti dal yn dy byjamas!" cyhuddodd Clare. Gwgais arni.

"Dwn i'm oes rhywun wedi deud wrthat ti, Clare, ond mae'n wyliau ha'. Does neb yn codi cyn hanner dydd. Ac o, gyda llaw, fy nhŷ i ydi hwn ac mi ga' i wisgo be dwi isio yma."

"Ocê, ocê. Os ti'm isio fy help i, mi a' i o 'ma rŵan."

"Dy help di?! Wyddwn i ddim 'mod i angen help..."

Ochneidiodd Clare, a throi ei chefn i adael. Ond ro'n i'n rhy chwilfrydig i adael iddi fynd heb wybod pam y daeth hi yn y lle cyntaf.

"Sori! Sori, Clare. Jyst tynnu coes o'n i. Ti am ddod i fewn?"

Roedd o'n deimlad rhyfedd, cael Clare yn y tŷ. Roedd gen i ddigon o ffrindiau oedd yn ferched, ond doedd Clare ddim yn un ohonyn nhw. Doedd hi jyst ddim yn rhan o'n criw ni – ddim yn rhan o unrhyw griw, a dweud y gwir. Roedd hi'n weithgar ond ddim yn swot, yn dda mewn chwaraeon, ac roedd ganddi ddigon o ffrindiau i eistedd efo nhw yn y ffreutur yn yr ysgol, ond doedd hi byth fel petai hi'n ymlacio'n iawn. Mae 'na bobol fel hi ym mhob ysgol, mae'n siŵr – pobol sy'n rhan o'r cefndir, byth yn tynnu sylw atynt eu hunain.

Yn y gegin, eisteddodd Clare wrth y bwrdd, ond nid cyn iddi edrych yn ddirmygus ar y bowlen anferth yn llawn cornfflecs llaith oedd yn aros amdana i. Ymestynnodd i'w bag am lyfr sgwennu.

"Wyt ti isio paned neu wbath?" gofynnais yn chwithig braidd, a synnu pan atebodd hi y byddai hi'n licio te. Te! Do'n i na'r un o fy ffrindiau yn licio paned, heblaw am siocled poeth, neu efallai goffi o'r caffi drud ym Mangor oedd yn rhoi blas taffi neu deisen sinsir i wneud y coffi'n llai chwerw. Ond beth bynnag, mi gafodd Clare ei phaned (llefrith, dim siwgr).

"Ro'n i yn y llyfrgell yn gweithio ar fy mhrosiect hanes..." dechreuodd Clare, a fedrwn i ddim peidio torri ar ei thraws wrth i mi agor can o bop ac eistedd i lawr.

"Prosiect hanes? Rŵan? Dydd Llun cynta'r gwyliau ydi hi!"

"Mae'n well gen i wneud y gwaith i gyd rŵan i'w gael o allan o'r ffordd." Pasiodd Clare ddarn o bapur draw ata i. Roedd o'n edrych fel papur newydd wedi ei ffotogopïo. "Mi ddois i o hyd i hwn, a chofio dy fod ti wedi sôn am wneud dy brosiect am foi o'r enw Hywel Rowlands."

Roedd 'na lun ynghanol yr ysgrifen fân ar y papur, llun o ddau o blant bach, bachgen a merch, yn sefyll ochr yn ochr, a gwên fawr ar eu hwynebau. Meddai'r pennawd, 'Hywel Rowlands, Tyddyn Mwyar, Llanddaniel Fab, a Phyllis Edwards, Tŷ Llain. Enillwyr ar yr adrodd yn Eisteddfod Llangefni.'

"Ew! Diolch, Clare!" Craffais ar wyneb y bachgen bach. Roedd ganddo fop o wallt tywyll, blêr, a gwên lydan ddireidus. "Sut yn y byd gest ti hyd i hwn?"

"Wel... Phyllis Edwards oedd fy hen nain. Amdani hi dwi'n gwneud fy mhrosiect. Rhyfedd, 'te? I feddwl eu bod nhw wedi nabod ei gilydd."

"Ia! Ydi hi dal yn fyw?"

"Na, ddim ers talwm."

Roedd 'na dawelwch chwithig wedyn, a dwi'n siŵr fod Clare wedi difaru cymryd paned ac eistedd i lawr, achos roedd hi wedi dweud yr hyn y daeth hi acw i'w ddweud, ac roedd hi'n methu gadael yn syth bìn rŵan.

Diolch byth, mi ddaeth cnoc arall ar y drws, a chyn bo hir, roedd Kieran a chriw o ffrindiau yn y gegin, yn gwagio'r oergell ac yn bwyta creision.

"Clare? Be ti'n neud yma? Oes rhywbeth 'dach chi isio deud wrthan ni?" Winciodd Kieran wrth edrych draw arna i a Clare, a rholiodd hi ei llygaid.

"Helpu Huw efo'i waith cartref, ond peidiwch â phoeni, wna i ddim aros."

Roedd ambell ferch yn ein criw ni, ac fe aethon nhw draw i eistedd yn ymyl Clare. Cyn pen dim, roedd y tair yn sgwrsio a chwerthin wrth fwrdd y gegin, tra oedd y gweddill ohonom yn chwarae pêl-droed ar y cyfrifiadur. Cyn i mi gael cyfle i feddwl mwy am y peth, roedd oriau wedi pasio, a Clare yn dal efo ni, wedi dod yn rhan o'n criw ni mewn dim o dro. Efallai mai diolch i Hywel Rowlands roedd hynny, achos o'r diwrnod hwnnw ymlaen, roedd Clare yn un ohonon ni, yn hapus ac yn gwenu o hyd.

4

ROEDD DECHRAU'R GWYLIAU yn berffaith. Roedd hi'n braf, roedd fy ffrindiau i gyd o gwmpas, ac ro'n i'n cael y tŷ i mi fy hun drwy'r dydd pan oedd Mam a Dad yn y gwaith. Byddwn i wedi licio i bob dydd fod fel 'na – codi'n hwyr, crwydro i lawr i Nant y Pandy efo'r criw, gorweddian dan y coed wrth yr afon yn bwyta pic-a-mics i ginio, neu gicio pêl-droed ar yr hen draciau trên. Ro'n i'n cael aros ar fy nhraed mor hwyr ag ro'n i eisiau, a doedd dim rhaid i mi godi'n gynnar chwaith. Ac er ein bod ni'n dal i boeni am Nain, oedd yn mynd yn fwyfwy dryslyd, do'n i ddim yn colli cwsg dros y peth. Wedi'r cyfan, roedd pawb yn mynd yn anghofus wrth fynd yn hŷn, ac roedd Nain yn berffaith iawn y rhan fwyaf o'r amser. Ro'n i'n aml yn galw efo hi ar ddiwedd y dydd ar y ffordd adre o'r dre neu o Nant y Pandy, a dyna wnes i amser swper un dydd Llun yn fuan yn y gwyliau.

"Huw!" gwenodd yn llydan wrth i mi ymddangos

yn ei chegin. Do'n i byth yn cnocio: roedd o 'run fath ag adre i mi. Cododd yn syth a mynd ati i wneud milc shêc i mi – roedd hi'n cadw'r powdr yn arbennig ar fy nghyfer i yn y tŷ.

"'Dach chi'n iawn, Nain?"

"Yndw, tad. Meddwl c'nesu tun o gawl i swper o'n i, ond rŵan dy fod ti yma, be am iti redeg lawr y lôn a dod â bag o jips yr un i ni?"

"Does dim isio i chi, Nain. Jyst galw i mewn ar y ffordd adre ydw i..."

"Ond rwyt ti yma rŵan, a dwi heb gael tships ers hydoedd." Gwasgodd bapur decpunt i fy llaw. "Paid ag anghofio'r pys slwj, rŵan!"

Ar ôl y wledd, wedi ei bwyta'n syth o'r papur i arbed gorfod golchi llestri, ymlaciodd Nain a finnau o gwmpas y bwrdd bach yn y gegin gefn, ein boliau'n llawn. Ro'n i wedi ffonio Mam i ddweud na fyddai angen swper arna i, ac roedd hi wedi dweud wrtha i am beidio poeni am gyrraedd adre'n rhy hwyr.

"Taswn i'n medru, mi faswn i'n cael tships bob nos, wsti," synfyfyriodd Nain. "Digon o halen, a digon o finag..."

"Mi fasach chi'n gallu cael tships bob nos,"

atebais. "'Dach chi'n oedolyn! 'Dach chi'n gallu gwneud penderfyniadau drostoch chi'ch hun. Dwi'n edrych ymlaen at fod fel 'na."

"Yn anffodus, mae hen bobol fel fi'n gorfod ystyried pethau diflas fel pwysau gwaed a chlefyd y galon a ballu." Gwenodd Nain. "Wsti, roedd fy mam yn arfer gwneud tships cartref i ni. Y gorau yn y byd. Dydw i heb flasu dim byd cystal erioed..."

Ac aeth Nain ymlaen i hel atgofion, fel y byddai'n gwneud yn aml ers iddi fynd yn ddryslyd – sôn am ei magwraeth mewn tyddyn bach yn ymyl Llanddaniel Fab, a'i thad yn trin y tir a'i mam yn cadw'r tŷ ac yn coginio pethau anhygoel. Ro'n i wrth fy modd yn clywed ei hanesion, yn enwedig pan oedd hi'n sôn am y pethau direidus roedd hi'n arfer eu gwneud.

"Roedd 'na fwy o adar bryd hynny," synfyfyriodd Nain. "Yn enwedig colomennod, wrth gwrs, a 'Nhad yn eu cadw nhw. Doedd o ddim yn ddyn cynnes iawn – dwi'n meddwl bod hynny rhywbeth i'w wneud efo'r pethau welodd o yn y Rhyfel Byd Cyntaf – ond roedd o'n annwyl iawn efo'r adar."

Wrth i mi eistedd yna, a'm bol yn llawn sglodion, meddyliais am rywbeth nad o'n i wedi meddwl amdano'n iawn o'r blaen. Doedd Nain byth yn sôn am ei brawd, Hywel, yn ei straeon. Doedd hi erioed wedi gwneud, dim unwaith. Yr unig reswm ro'n i'n gwybod bod ganddi frawd oedd achos fod Dad yn sôn amdano fo bob tro roedd stori am yr Ail Ryfel Byd ar y teledu neu yn y papurau.

"... ac roedd gen i golomen fy hun – colomen wen hyfryd, y peth tlysa welaist ti 'rioed..."

"Oedd Hywel yn licio adar, Nain?" gofynnais, gan obeithio ei chael hi i siarad amdano am unwaith. Ond aeth Nain yn dawel, dawel am amser hir. Ro'n i'n teimlo 'mod i wedi sbwylio'r noson fach hyfryd. "Sori," meddwn mewn llais bach.

"Oedd," meddai Nain, ei llais yn gryg a'i meddwl yn bell. "Roedd o'n licio adar. Ond chawn ni ddim siarad am Hywel." Edrychodd i lawr ar ei glin.

"Ond pam, Nain? Oedd o ddim yn ddyn da?"

Er mawr syndod i mi, llithrodd deigryn mawr o lygad Nain a syrthio i lawr ei boch grychiog. "Shhh, rŵan. Chawn ni ddim siarad am Hywel. Ddim ar ôl be ddigwyddodd."

Dwi ddim yn boenwr, fel arfer, ond mi wnes i boeni am Nain ar ôl y noson honno. Poeni 'mod i wedi codi hen grachod a'i gorfodi i siarad am Hywel pan fyddai'n well ganddi anghofio amdano. Ond mae'n rhaid i mi gyfaddef bod ei geiriau wedi gwneud i mi feddwl bod 'na ryw gyfrinach, rhyw ddigwyddiad na wyddwn i ddim amdano.

"Dad?" gofynnais yn hwyr y noson honno. Roedd o yn yr ystafell fyw efo'i gyfrifiadur tabled ar ei lin. "Ga' i siarad efo chi am funud?"

"Iesgob, wyt ti dal ar dy draed?" Edrychodd i fyny arna i a gwenu. "Be sy'n dy boeni di?"

"Wel, mae gen i brosiect hanes i'w wneud ar gyfer yr ysgol, a dwi'n meddwl dechrau fory. 'Dan ni'n gorfod gwneud prosiect am y ffor' wnaeth yr Ail Ryfel Byd effeithio ar aelod o'n teulu ni, felly rydw i'n meddwl ei wneud o am Hywel, brawd Nain."

"A! Difyr! Dewis da."

"Ond mi wnes i drio trafod y peth efo Nain, a..."

Cododd Dad ei law i'm stopio i rhag siarad. "Dwi'n dallt rŵan. Peth rhyfedd ydi o, 'te? Mae 'na gymaint o deuluoedd sy'n licio sôn am y perthnasau oedd ganddyn nhw yn y rhyfel, ond dydi Nain byth yn sôn am Hywel."

"Ond pam? Be ddigwyddodd iddo fo?"

Cododd Dad ei ysgwyddau. "Dwn i ddim yn iawn. Dwi'n cymryd ei fod o wedi ei ladd yn y rhyfel. Ro'n i wastad yn meddwl mai dyna pam doedd Nain ddim yn licio siarad amdano fo, am fod hynny'n ei hatgoffa hi ei fod o wedi marw'n ifanc fel 'na."

"Mi ddywedodd hi rywbeth rhyfedd heno. Dweud na chawn ni siarad am Hywel, dim ar ôl be ddigwyddodd. Am be mae hi'n sôn, 'dach chi'n meddwl?"

"Y rhyfel, mae'n siŵr. Ond yli, dwi'n dal i feddwl ei fod o'n syniad da i ti wneud y prosiect am Yncl Hywel. Mi fedri di ffindio allan yn union be ddigwyddodd iddo fo. Mi fydd o'n antur!"

Roedd gan Dad a finnau syniadau go wahanol am beth oedd yn antur, yn amlwg, ond gan fod yn rhaid i fi wneud y prosiect yma, waeth i mi drio darganfod beth ddigwyddodd i Hywel yr un pryd.

Ar y ffordd yn ôl i fy llofft, mi es i nôl gwydraid o lefrith, oedd wastad yn fy helpu i gysgu. Ro'n i ar fin tollti'r llefrith pan sylwais ar rywbeth yn y gwydryn ro'n i newydd ei nôl o'r cwpwrdd. Rhoddais y botel lefrith i lawr, ac ymestyn i mewn i'r gwydryn.

Doedd y peth ddim yn gwneud synnwyr.

Un bluen wen.

5

GWELL I MI eich rhybuddio chi. Dydi'r rhan nesaf yma ddim yn neis iawn. Hyd yn hyn, mae gynnon ni brosiect ysgol, criw da o ffrindiau, gwyliau haf a Nain sy'n dechrau ffwndro. Dim byd allan o'r cyffredin. Ond dyma'r rhan lle wnes i ddechrau gweld, go iawn, pa mor ddifrifol oedd salwch Nain.

Roedd Mam wedi prynu llyfr i mi am y salwch – dementia maen nhw'n ei alw fo – a minnau wedi bod yn pori drwyddo, yn dychryn fy hun wrth weld mor ofnadwy o sâl roedd rhai pobol yn mynd. Ond, ar yr un pryd, ro'n i'n teimlo chydig bach yn well. Doedd Nain ddim yn dioddef o lawer o'r symptomau gwaethaf. Roedd rhai pobol efo dementia yn gallu mynd yn flin ac yn ymosodol, neu, yn waeth byth, yn ofnadwy o drist. Roedd 'na hanes am un hen ŵr yn torri ei galon wrth chwilio am ei deulu, heb sylweddoli mai ei deulu oedd y bobol o'i gwmpas o. Diolch byth fod Nain ddim fel 'na, meddyliais i. Dydi hi ddim wedi colli gafael ar y byd go iawn.

Roedd hi'n ddiwrnod llwyd ac yn lawog, ac roedd Kieran, Clare a finnau wedi bwriadu mynd i'r llyfrgell i weithio ar ein prosiectau. A dweud y gwir, doedd fawr o amynedd gan Kieran na finnau, ond roedd gweddill y criw wedi mynd ar eu gwyliau neu am dripiau efo'u teuluoedd, a doedd dim posib aros o gwmpas Nant y Pandy a hithau mor wlyb.

"Dim ond dechrau'r gwyliau ydi hi!" cwynodd Kieran dros y ffôn. "Dwi'm yn meindio Clare, Huw, ond dwi ddim isio iddi'n troi ni i gyd yn nyrds llwyr."

"Paid â mynd i'r llyfrgell, 'ta. Does neb yn dy orfodi di."

Ochneidiodd Kieran. "Waeth i fi ddod, os ydach chi'n mynd. Ond dwi ddim am aros am hirach nag awr."

"Wela i di yno am un ar ddeg, 'ta?"

"O, ocê. Tyrd â fferins efo ti."

Ro'n i fymryn yn gynnar yn dechrau o'r tŷ, felly mi benderfynais fynd i alw ar Nain. Roedd hi'n pistyllio bwrw erbyn hyn, ac er 'mod i'n gwisgo côt law, roedd hi'n braf cael camu i mewn i'w thŷ hi o'r dilyw y tu allan.

"Helô! 'Mond fi sy 'ma!" galwais, gan frysio i'r gegin. Doedd Nain ddim yno, ond roedd y radio ymlaen yn uchel, ac arogl cinio dydd Sul yn dod o'r ffwrn.

Mae'n rhaid ei bod hi yn y tŷ bach, penderfynais, felly es i ati i dollti gwydraid o sudd oren i mi fy hun, ac eistedd wrth fwrdd y gegin.

Ond wnaeth Nain ddim dod.

Ar ôl rhyw bum munud, codais ar fy nhraed a chrwydro drwy'r tŷ, gan alw, "Nain? Nain!" Doedd hi ddim yn yr ystafell fyw, nac yn y llofftydd. Doedd hi ddim yn yr ystafell molchi chwaith.

"Nain?" galwais unwaith eto, er ei bod hi'n glir iawn erbyn hynny nad oedd Nain yn y tŷ.

Wrth gwrs, fel arfer, fyddwn i ddim yn poeni nad oedd Nain adre – efallai ei bod hi wedi piciad i'r siop, neu fynd i weld un o'i ffrindiau. Efallai fod ganddi apwyntiad efo'r meddyg neu'r optegydd yn y dre. Ond fyddai Nain ddim wedi gadael y drws heb ei gloi, heb sôn am adael y radio ymlaen a bwyd yn y ffwrn. Roedd hi fel petai wedi diflannu, a dechreuais boeni go iawn.

I lawr y grisiau, edrychais yn y ffwrn, a gweld bod y cyw iâr oedd yno wedi dechrau llosgi, a'r croen yn crebachu. Nain oedd y gorau yn y byd am goginio cyw iâr, a doedd hi byth yn llosgi dim. Diffoddais y ffwrn. Beth ddylwn i ei wneud? Oedd hyn yn argyfwng go iawn, yn ddigon drwg i ffonio Dad neu Mam? Neu a fyddai Nain yn ymddangos mewn munud, wedi piciad i'r siop i brynu wyau neu fenyn, ac yn llawn hwyl? *Oeddat ti'n meddwl 'mod i wedi cael fy nghipio gan ddynion bach gwyrdd o'r blaned Mawrth, Huwi?* Sefais am funud, yn poeni'n ofnadwy ac yn ansicr beth i'w wneud.

Cerddais o gwmpas y tŷ unwaith eto, ac edrych yn y llefydd gwirion na fyddai Nain byth yn cuddio – dan y gwely, yn y wardrob. Dwi'n meddwl 'mod i wedi gobeithio dod o hyd iddi'n chwarae rhyw gêm wirion, fel y gêmau roedden ni'n eu chwarae pan o'n i'n hogyn bach. Ond doedd Nain ddim yno. Yn y diwedd, doedd dim i'w wneud ond ffonio Mam a Dad.

Yn hwyrach, pan oedd popeth drosodd, dywedodd Mam a Dad eu bod nhw'n teimlo'n ofnadwy na wnaeth yr un ohonyn nhw ateb y ffôn i mi. Roedd Dad yn gyrru yn y car, ar ei ffordd i ryw gyfarfod, ac felly doedd o ddim yn cael ateb ei ffôn, ac erbyn iddo gofio fy ffonio i'n ôl, roedd oriau wedi mynd heibio. Dywedodd Mam ei bod hi ar y ffordd i'r theatr yn yr ysbyty – mae hi'n nyrs sy'n gweithio ar lawdriniaethau – a phan welodd hi mai fi oedd yno, penderfynodd mai ffonio i ofyn rhywbeth dibwys o'n i. Mae hynny'n swnio'n ofnadwy, tydi? Ond, i fod yn deg iddi, ro'n i eisoes wedi ei ffonio dair gwaith y bore hwnnw – unwaith i ofyn sut o'n i'n rhoi'r gwres canolog ymlaen, unwaith i ofyn ble roedd y menyn cnau, ac unwaith eto i ofyn iddi brynu mwy o fenyn cnau ar y ffordd adre o'r gwaith.

Ond beth bynnag am hynny i gyd, canu a chanu wnaeth ffonau Mam a Dad, a finnau heb syniad yn y byd beth i'w wneud. A ddylwn i ffonio'r heddlu? Ambiwlans, jyst rhag ofn? Ond a fyddai'r heddlu'n flin 'mod i'n ffonio? Wedi'r cyfan, wyddwn i ddim fod unrhyw beth wedi digwydd i Nain o gwbl.

Canodd y ffôn bach yn fy llaw, ac am eiliad, ro'n i'n siŵr mai Mam neu Dad oedd yn fy ffonio. Ond enw Kieran oedd yn fflachio ar y sgrin.

"Lle wyt ti?" gofynnodd yn flin, cyn i mi gael

cyfle i ddweud helô. "Roeddan ni i fod i gyfarfod yn y llyfrgell ddeg munud yn ôl! Dwi'n boddi mewn nyrds yn fa'ma!" Clywais rywun yn dwrdio yn y cefndir, ac yna dywedodd Kieran, "Paid â gwylltio, Clare, do'n i ddim yn siarad amdanat ti."

"Dwi'n methu dod o hyd i Nain," meddwn, a swniai fy llais yn fain ac yn wan.

"Be?" gofynnodd Kieran mewn penbleth. "Wyt ti yn ei thŷ hi?"

"Yndw, a tydi hi ddim yma."

"Wel, mae'n siŵr ei bod hi wedi piciad allan i…"

"Roedd y drws yn gored, a'r radio 'mlaen, ac mae 'na gyw iâr wedi llosgi yn y ffwrn," ychwanegais. Roedd Kieran yn dawel am ychydig, a dywedais, "Dwi 'di trio ffonio Mam a Dad, ond does dim ateb. Be ddylwn i neud, Kieran? Ffonio'r cops?"

"'Dan ni ar ein ffordd," meddai Kieran, ac aeth y ffôn yn dawel.

Roedd hi'n deimlad rhyfedd, cael Kieran a Clare yn nhŷ Nain ar achlysur fel yma, ac ar ôl i ni gerdded o gwmpas y tŷ unwaith eto i chwilio am Nain, safodd y tri ohonom yn y gegin. Roedd wynebau Kieran a Clare yn welw ac yn llawn difrifwch, ac roedd gen innau deimlad digalon, afiach yn fy mherfedd.

"Bydd rhaid i ti ffonio'r heddlu," meddai Clare. Gwelodd fy wyneb, a thrio gwneud i mi deimlo'n well. "Dwi ddim yn dweud bod unrhyw beth wedi digwydd i dy nain, ond mae'n well bod yn saff…"

"Dwi'n meddwl y dylian ni aros," meddai Kieran. "A dal i drio ffonio dy rieni, Huw. Mae'n siŵr y bydd hi'n ôl unrhyw funud!"

"Bydd, mae'n siŵr, ond mae'n well bod yn saff…" atebodd Clare drwy ei dannedd. Roedd hi'n trio peidio gwylltio efo Kieran.

"Clare, dydi pobol ddim yn ffonio'r cops achos bod eu nain wedi mynd am dro," meddai Kieran yn bendant.

"Nac ydi, ond…"

"Be fysat ti'n ddweud? 'O, mae 'na argyfwng, mae nain fy mêt wedi llosgi cyw iâr! O, help!'"

Ochneidiodd Clare, a chau ei llygaid. Ro'n i'n meddwl am ychydig ei bod hi'n mynd i weiddi ar Kieran, ond pan agorodd ei llygaid, troi ata i wnaeth hi.

"Cyn i ni ffonio'r heddlu, Huw, oes 'na unrhyw

le arall allai dy nain fod? Cwt yn yr ardd, falle, neu dŷ gwydr?"

"Dim ond cwt glo bach, ac mae hi'n stido bwrw, dwn i ddim pam fyddai hi wedi mynd allan yn y lle cyntaf." Agorais ddrws y cefn. "Ond waeth i mi sbio, rhag ofn iddi fynd i nôl glo, ac wedi disgyn neu rywbeth."

Doedd Nain ddim yn yr ardd, ac roedd drws y cwt glo ar gau. Ac eto, brasgamais dros y glaswellt, ac agor y drws.

Wna i byth anghofio'r ddelwedd oedd yn fy wynebu pan agorais y drws – mae o fel llun yn fy mhen, fel ffotograff dwi'n ei weld weithiau yn hwyr y nos ac yn meddwl am bethau digalon.

Roedd Nain ar ei chwrcwd yn y cwt glo, ei gwallt, oedd bellach yn wyn, a'i chôt nos wen yn fudr efo llwch glo, a'i breichiau main wedi eu lapio o'i chwmpas er mwyn trio cynhesu. Roedd golwg mor hen a bregus arni, a chlywais Clare yn rhoi ebychiad yn fy ymyl.

"Ydi o drosodd?" crawciodd Nain, gan syllu i fyny arna i.

"Nain!" Suddodd diferion y glaw drwy fy nillad ac i mewn i'm gwallt. "Be 'dach chi'n neud?"

"Awyrennau'r Jyrmans oedd yn dod. Glywsoch chi mo'r seiren?" gofynnodd Nain. "'Dan ni'n gorfod cuddiad yn y cwt glo pan mae'r seiren yn canu."

Suddais i fy nghwrcwd, a rhoi fy mraich amdani. "Mae'r rhyfel wedi gorffen, Nain."

"Ew! Ydi o? Diolch byth! Geith Hywel ddod yn ôl rŵan, plis?"

"Ond mae Hywel wedi marw, Nain."

A gwenodd Nain y wên letaf, ddisgleiriaf i mi ei gweld erioed. "Naddo, siŵr! Wnaeth Hywel ddim marw yn y rhyfel, wsti."

Y noson honno, eisteddodd Mam, Dad a finnau o gwmpas y bwrdd bach yng nghegin tŷ Nain ar ôl swper. Roedd Nain yn y gwely, wedi blino ar ôl sgyrsiau cymysglyd efo Mam a Dad ar ôl iddyn nhw ddod adre. Chwarae teg i Clare, roedd hi wedi gofalu am bopeth wedi i ni ddod o hyd i Nain. Hi wnaeth redeg i'r tŷ i nôl tywelion, hi wnaeth ffonio'i mam i ofyn am gyngor, ac yna, mewn dim o dro, roedd ei mam wedi cael gafael ar fy mam i drwy ffonio'r ysbyty. Erbyn i Mam gyrraedd, roedd Clare wedi rhoi'r gwres ymlaen ac wedi lapio Nain mewn blancedi er mwyn iddi gynhesu ar ôl treulio cymaint o amser yn y cwt. Diflannodd Kieran a Clare wedyn, ac roedd y tri ohonom yn teimlo rhyw embaras rhyfedd fod y ffasiwn beth wedi digwydd.

"Dim ond un ateb sy 'na," meddai Mam ar ôl swper. "Dydi hi ddim yn iawn gadael Nain ar ei phen ei hun yma bellach."

Nodiodd Dad. "Ti'n iawn. Er, roedd hi'n hollol iawn pan o'n i'n siarad efo hi gynnau! Roedd hi'n meddwl ein bod ni'n gwneud hen ffys am ddim byd."

"Mae hi wedi anghofio'r cyfan," meddai Mam yn feddylgar. "Dwi ddim yn meddwl ei bod hi wedi 'nghoelio i pan ddywedais i ei bod hi wedi bod yn cuddio yn y cwt glo."

"Mi geith hi ddod i fyw efo ni!" meddwn. Edrychodd Mam a Dad er ei gilydd dros y bwrdd. Ro'n i'n rhyw feddwl eu bod nhw wedi trafod hynny o'r blaen.

"Dyna fyddan ninnau'n licio'i wneud, Huw, ond mae'n rhaid i ni fod yn ymarferol. Mae Nain angen gofal llawn amser – rhywun i goginio'i phrydau bwyd iddi, a gwneud yn siŵr ei bod hi'n saff," esboniodd Dad, gan edrych yn flinedig iawn. "Rydw i a Mam yn y gwaith drwy'r dydd, a chditha yn yr ysgol."

"Wel, be am Anti Miriam, 'ta?" gofynnais. Chwaer Dad oedd Anti Miriam, ac roedd hi'n grand ac yn byw mewn tŷ anferthol yn Llundain efo'i gŵr a'i phlant perffaith. Roedden nhw'n dod ar eu gwyliau i'r ardal bob haf, ond yn aros mewn bwthyn gwyliau yn Rhosneigr a ddim ond yn mynd i weld Nain unwaith neu ddwy.

"Mae Miriam wedi dweud mai ni ddylai benderfynu," atebodd Mam, oedd yn amlwg yn casáu Anti Miriam ond byth yn fodlon cyfaddef hynny.

"Bydd rhaid iddi fynd i gartref, Huw," esboniodd Dad. "A dweud y gwir wrthat ti, mae hyn i gyd wedi ei benderfynu rai misoedd yn ôl. A digwydd bod, mae 'na le iddi i symud i mewn dydd Iau. Mi wna i aros yma efo hi tan hynny."

Edrychais o gwmpas y gegin ar holl bethau Nain – ei sosbenni yn crogi o'r nenfwd, ei hoff fyg te, ei thun bisgedi efo'r patrwm eiddew drosto. Fedrwn i ddim dychmygu'r pethau yma hebddi.

“Ga’ i fynd i fyny i’r llofft i’w gweld hi?” gofynnais, wedi cael llond bol ar y trafod.

“Gad iddi am chydig,” meddai Mam yn addfwyn. “Mae hi’n cysgu’n drwm.”

“Mam... ydach chi’n meddwl ei bod hi’n dweud y gwir am Hywel? Ei fod o wedi byw drwy’r rhyfel?”

“Does gen i ddim syniad, pwt. Mae’n rhaid i ni ganolbwyntio ar ddyfodol Nain rŵan, nid ei gorffennol hi.”

Doedd gen i ddim mynedd mynd allan i unman y diwrnod wedyn. Mi anfonais negeseuon ar y we i ddiolch i Kieran a Clare, ac i ddweud beth oedd yn digwydd efo Nain. Ond do’n i ddim eisiau eu gweld nhw. Ro’n i angen diwrnod ar fy mhen fy hun. Wnes i ddim ateb y negeseuon yn gofyn i mi fynd i Nant y Pandy, na neges Clare yn dweud ei bod hi’n mynd i’r llyfrgell i gario ’mlaen efo’i phrosiect, ac yn gofyn o’n i am ddod hefyd. Eisteddais o flaen y teledu drwy’r dydd, heb newid o fy mhyjamas. Roedd Mam a Dad wedi cymryd amser o’u gwaith er mwyn helpu i bacio pethau Nain a’i pharatoi i fynd i Lys Cefni, y cartref nyrsio, ond do’n i ddim am fynd drwy bethau Nain. Hi oedd biau nhw, nid ni.

Yn hwyr y pnawn, daeth cnoc ar y drws – Kieran oedd yno, yn edrych braidd yn chwithig. Doedd gen i fawr o fynedd, a doedd ganddo fo ddim llawer i'w ddweud, chwaith, ond mi es i nôl can iddo fo, ac eisteddodd y ddau ohonom o flaen y teledu.

"Ti'n iawn?" gofynnodd Kieran, oedd yn rhyfedd achos dydan ni byth yn gofyn hynny i'n gilydd.

"Yndw. Pam?"

"Meddwl am dy nain ydw i. Bechod."

"Ma hi'n mynd i gartref nyrsio dydd Iau." Cadwais fy llygaid ar y teledu, heb edrych ar Kieran.

"O… ocê. Wel… bydd hi'n saff yn fanna."

"Bydd."

Bu tawelwch hir wrth i ni wylio'r rhaglen am geir, ond mae 'na wahanol fathau o dawelwch, a doedd hwn ddim yn un cyffyrddus. Roedd Kieran fel petai eisiau dweud rhywbeth, ond yn methu.

"Ti isio dod i chwarae ffwti ar Gae Top cyn iddi nosi?" gofynnodd Kieran.

"Na, dim mynadd."

"O… ocê. Wel… Wela i di fory, ia?"

"Iawn."

Safodd Kieran fel petai o am adael, ond wnaeth o ddim, dim ond sefyll yno'n edrych yn chwithig. Edrychais arno'n amheus.

"Wel?"

"Meddwl o'n i…"

"Wir? 'Di hynna ddim fatha chdi…"

"Ha ha!" Eisteddodd Kieran eto. "Dwi a Clare wedi bod yn siarad."

"O, ia?" Crechwenais ar Kieran, ac er mawr syndod i fi, cochodd hwnnw at ei glustiau. Roedd o *yn* ffansïo Clare! Wel, wel, pwy fasa'n meddwl? "No we! Chdi a Clare?!"

"Cau hi, Huw, dwi'n trio bod o ddifri fa'ma. Meddwl oeddan ni y bysa'n syniad da bwrw iddi efo'r prosiect 'ma."

Syllais yn gegagored ar Kieran. "Be 'di hyn, jôc?"

"Chdi oedd yn deud ei bod hi'n well ei gael o allan o'r ffordd!"

"Wel ia, ond…"

"Yli, syniad Clare ydi o, ac mae o'n syniad da. Ti'n cwarfod ni wrth y lle bysys bore fory am un ar ddeg, a dyna ni. A tyrd â phicnic."

"Y lle bysys? Dwi'm am wneud fy mhrosiect mewn lle bysys!"

Ochneidiodd Kieran, a chodi ar ei draed. Cyn iddo adael drwy'r drws cefn, gwaeddodd, "Un ar ddeg, ci rhech, a gwell i chdi fod yna!"

Chwarddais i mi fy hun. Chwarae teg i Kieran, roedd o'n gwybod sut i godi 'nghalon i.

Wedyn, clywais ddrws y cefn yn agor eto ac yna'n cau. Mae'n rhaid fod Mam adre.

"Haia!" galwais, gan droi'n ôl at y teledu. Ond doedd dim mwy o sŵn – dim "Helô" llawen, na thwrw'r tegell, na'r cypyrddau a'r oergell yn agor a chau wrth i Mam dacluso'r siopa.

Daeth cryndod drosta i. Codais ar fy nhraed yn araf, a throi tua'r gegin.

"Mam?"

Doedd dim smic.

Troediais yn araf tuag at y gegin, fy nghalon yn drymio'n uchel dan fy mron. Ond ro'n i'n gwybod cyn edrych beth fyddwn i'n ei weld, ac ro'n i'n iawn.

Pwy bynnag oedd wedi agor a chau drws y gegin, roedd y gegin yn wag. Dim ond fi oedd yn y tŷ.

6

Roedd trannoeth yn ddiwrnod braf, a'r haul wedi codi yn llawer cynt nag y gwnes i. Roedd hi'n hanner awr wedi deg, a doedd gen i ddim amynedd i fynd ar fws efo Clare a Kieran i unman – byddai'n well gen i chwarae ar y cyfrifiadur, neu wylio'r teledu yn fy mhyjamas. Ond mynd wnes i.

Roedd Clare a Kieran yn aros amdana i yn yr arhosfan, ac ochneidiodd Clare yn ddramatig pan welodd hi fi.

"Ti'n hwyr!" meddai.

"Ydi'r bws wedi mynd?"

"Wel, nac ydi, ond…"

"Wel, dydw i ddim yn hwyr 'ta, nac ydw?"

Crechwenodd Kieran, ond a dweud y gwir, ro'n i'n teimlo fymryn yn euog. Wedi'r cyfan, roedd Clare yn amlwg wedi trefnu rhyw syrpréis i mi, a doedd gen i ddim rheswm yn y byd i fod yn gas efo hi.

Diolch byth, fe ddaeth y bws a dringodd pawb arno.

"Llanddaniel Fab, plis," meddai Clare wrth y gyrrwr, ac edrychais arni'n hurt.

"'Dan ni'n mynd i Landdaniel Fab?"

"Dyna ddeudais i, 'de? Tyrd, pryna dy docyn."

A dyna wnes i, a Kieran ar fy ôl. Eisteddodd y tri ohonom ar sedd gefn y bws. Ew, roedd hi'n boeth, ac ro'n i'n casáu arogl bysys – arogl diesel a llwch a hen gotiau tamp.

"Ydach chi'n mynd i esbonio be sy'n mynd ymlaen?" gofynnais wrth i'r bws ymlwybro allan o Langefni. "Sgin i ddim byd yn erbyn Llanddaniel Fab, ond does 'na ddim llawer iawn yno, nag oes?"

Gwell i mi esbonio. Pentref bychan ydi Llanddaniel Fab, pentref ar Ynys Môn, rhyw ddeng munud ar y bws o Langefni. Mae o'n lle braf iawn, efo ysgol a llwyth o dai, ond i Fangor roedden ni'n arfer mynd. Mae 'na sinema ym Mangor, a chant a mil o siopau, a chaffis sy'n gwerthu byrgyrs rhad. Does 'na ddim McDonald's ar gyfyl Llanddaniel Fab.

"Wel, dwi a Kieran wedi bod yn gwneud chydig o waith i dy helpu di efo'r prosiect ysgol... Er, paid ti â meiddio deud wrth neb, achos chdi sydd i fod i wneud hwn, nid ni..."

Syllais ar y ddau, a sylwi ar fochau cochion Kieran. "Be? Efo'ch gilydd, 'lly?"

"Ia," atebodd Clare yn ffwr-bwt, gan dyrchu yn ei bacpac anferth am rywbeth.

"O'n i'n bôrd!" meddai Kieran, fel petai o'n trio gwneud esgus. "Roeddat ti'n brysur, efo popeth oedd yn digwydd efo dy nain, ac mae PAWB arall ar eu gwylia yn rwla..."

"A-ha! Dyma ni!" Tynnodd Clare ddarn o bapur o'i bag. Roedd o wedi ei blygu yn sgwâr bach, ac agorodd y papur wrth i'r bws chwyrnu ei ffordd drwy Gaerwen.

Map oedd o. Hen fap, o'r olwg oedd arno fo, wedi ei ffotogopïo, a'r geiriau 'Llanddaniel Fab' yn y canol mewn llawysgrifen grand, hen ffasiwn.

"Sbia." Pwyntiodd Clare at adeilad ar y map, ychydig y tu allan i'r pentref. Roedd y geiriau 'Tyddyn Mwyar' wedi eu sgwennu'n fach, fach yn ei ymyl.

Roedd yr enw'n canu cloch yn rhywle, ond...

"Dyna'r tŷ lle magwyd dy nain a'i brawd," esboniodd Kieran. "Ro'n i a Clare yn meddwl 'sa'n edrych yn dda i ti gael lluniau o'r lle, fel mae o rŵan, yn dy brosiect. Ac wedyn mi fedrwn ni ddal y bws i Fangor! Doeddat ti ddim wir yn meddwl ein bod ni'n mynd i gerdded rownd Llanddaniel am y pnawn, oeddat ti?"

Chymerodd hi ddim yn hir i ni ddod o hyd i Dyddyn Mwyar. Ro'n i wedi bod â llun yn fy mhen o sut le fyddai cartref plentyndod Nain – tŷ mawr gwyn efo coed o'i gwmpas i gyd a hen siglen yn crogi o un o'r canghennau. Ond doedd Tyddyn Mwyar yn ddim byd tebyg i hynny.

"Mae o'n adfail!" ebychodd Clare wrth i ni agosáu at yr hen le. Hi oedd wedi dweud lle i adael y bws, ac i lawr pa lôn fach roedd rhaid mynd. Roedd y perthi'n uchel ar bob ochr, a dim ceir o gwbl, dim ond sŵn yr adar bach, a rhyw blant yn gweiddi a chwerthin wrth chwarae'n bell, bell i ffwrdd. Ac yn sydyn, daethom at y tyddyn – neu'r hyn oedd ar ôl ohono.

Roedd golwg ofnadwy ar y lle. Roedd y to wedi disgyn i mewn i'r tŷ, a gwydr y ffenestri wedi diflannu. Roedd y drws ffrynt yn dal yn ei le, ond roedd o'n gilagored a'r paent coch yn plicio oddi arno. Doedd dim giât na wal na dim rhwng y lôn a'r hen waliau cerrig, dim ond llain o laswellt oedd yn llawn llygad y dydd a blodau pi-pi'n-gwely.

Fedrwn i ddim dychmygu Nain mewn ffasiwn le. "Mae o mor fach! Ac roedd 'na bedwar ohonyn nhw'n byw yn yr un tŷ!"

Brasgamodd Kieran dros y llain at y drws ffrynt, a'i wthio'n llydan agored.

"Paid â mynd i mewn! Dydi o ddim yn saff!" gwaeddodd Clare, ac er i Kieran wfftio, aeth o ddim i mewn. Brysiodd Clare a minnau ato, ac edrychodd y tri ohonom drwy'r drws.

Doedd dim llawer i'w weld – hen le tân yn llawn llwch a gwellt a rhywbeth wedi gwneud nyth yno, paent a phlastar yn plicio oddi ar y waliau ac yn gadael sbloetshys mawr o wyn ar y llawr. Roedd mymryn o'r hen deils i'w weld oddi tano hefyd – teils patrymog, a sgwariau bach coch a brown yn addurno pob teilsen yn ddel. Ar un o'r teils, roedd un bluen fach wen. Cofiais Nain yn sôn bod ganddi golomen wen pan oedd hi'n ferch fach, felly codais y bluen a'i rhoi yn fy mhoced.

Cerddodd y tri ohonom yn hamddenol ac yn ofalus o gwmpas y tŷ, yn sbio drwy bob twll ffenest ac yn trio dychmygu'r teulu yn byw yno. Roedd hi'n amlwg fod rhywun wedi torri i mewn dros y blynyddoedd, achos roedd caniau gweigion a hen bacedi creision gwag yn y corneli. Roedd o fel lle o oes arall. Doedd Nain ddim yn teimlo'n ddigon hen i fod wedi byw mewn ffasiwn le.

Roedd yr ardd gefn yn edrych allan dros gaeau gwastad, tlws, ac eisteddodd Kieran yn y gwair, ei gefn yn pwyso yn erbyn wal gefn y tyddyn, ac ymestynnodd am ei bicnic. A dyna lle gawson ni'n cinio, Clare a Kieran a finnau.

"Wyt ti'n gwybod pryd wnaeth teulu dy nain symud o 'ma?" holodd Clare wrth gnoi ar grystyn ei brechdan. "Mae o'n edrych fel tasa fo wedi bod yn wag ers hydoedd."

"Dim syniad," atebais, gan deimlo ychydig o gywilydd nad o'n i'n gwybod hanes Nain i gyd. "Mae hi'n sôn ei bod hi wedi chwarae yn y caeau, ac yn gorfod cerdded ar hyd y lôn fach i'r ysgol mewn tywydd mawr. Ond dydi hi ddim yn sôn am unrhyw beth penodol."

"Meddylia gorfod rhannu tŷ mor fach efo dy deulu i gyd!" ebychodd Kieran, gan wagio'r olaf o lwch y creision i'w geg. Roedd o wedi dod â llwyth o siocled a chreision fel picnic, a dim byd arall. "Bydda bod mor agos at fy nheulu yn fy ngyrru i'n nyts!"

"Fel'na *roedd* pethau yn yr hen ddyddiau," atebodd Clare.

"Dwi'n gwybod hynny," atebodd Kieran yn biwis. "Ond yr un fath oedd pobol, yntê? Mi fetia i eu bod nhw'n gyrru ei gilydd yn wallgo!"

Mi eisteddon ni yna am amser hir wedyn, a'r haul braf yn tywynnu arnon ni. Roedd Clare a Kieran yn hanner sgwrsio, hanner dadlau, ond do'n i ddim yn gwrando arnyn nhw. Roedd fy meddwl i'n ôl yn yr hen ddyddiau, yn meddwl am Nain yn hogan fach, a Hywel, ei brawd hi, a'r ddau'n chwarae yn yr ardd yma, yn chwerthin ac yn ffraeo ac yn mynd ar nerfau ei gilydd fel y bydd pob brawd a chwaer. Roedd hi mor drist fod Nain ddim wedi sôn am Hywel o gwbl cyn iddi ddechrau mynd yn sâl. Beth oedd Hywel wedi ei wneud oedd mor ofnadwy fel bod dros hanner canrif wedi mynd heibio heb iddi grybwyll ei enw wrth ei theulu ei hun? A pham, rŵan, ei bod hi fel petai'n sownd yn yr hen ddyddiau, a'i bod hi'n troi ei meddwl ato'n amlach ac yn amlach?

"Dwi'n mynd i bi-pi."

Codais ar fy nhraed a cherdded at dalcen y tŷ, gan chwilio am wrych neu rywle lle medrwn i gael mymryn o breifatrwydd. Ac wedi edrych, roedd 'na gwt bach yno ac eiddew yn tyfu drosto, yn gorchuddio'r waliau cerrig.

Wrth gwrs. 'Tŷ allan' roedd Nain yn galw hwn. Doedd dim tŷ bach yn Nhyddyn Mwyar, felly roedd rhaid cael tŷ bach mewn cwt yn yr ardd. Dwi'n cofio Nain yn dweud bod arni ofn mynd allan pan oedd hi'n dywyll, a'r llwybr o'r tŷ i'r cwt yn gallu bod yn llithrig.

Doedd dim drws i'r tŷ allan, ond roedd y toilet yn dal yno – wel, dim ond twll mewn darn o bren oedd o mewn gwirionedd. Medrwn i ddychmygu y byddai'n hen le tywyll i ddod iddo yng nghanol noson oer, ganol gaeaf.

Camais i mewn i'r tŷ allan. Doedd 'na ddim llawr iawn, dim ond pridd a cherrig mân. Roedd llwyth o we pry cop ar hyd y waliau, ac eiddew yn dechrau dod i mewn i'r adeilad.

Daliodd fy llygaid ar rywbeth yng nghornel uchaf un o'r waliau. Mae'n rhaid fod rhywun wedi sefyll ar bren y tŷ bach er mwyn crafu ei enw yn y wal, a medrwn weld yn glir mai 'HYWEL ROWLANDS' oedd wedi ei grafu mewn llythrennau bras. Ond beth oedd yn ofnadwy, beth yrrodd ias i lawr fy nghefn ar ddiwrnod braf o haf, oedd fod llinell drwchus drwy enw Hywel Rowlands fel petaen nhw'n ceisio ei ddileu. Fel petaen nhw am anghofio amdano'n gyfan gwbl.

7

"WYT TI'N IAWN, Huw?"

Roedd Mam yn gofyn yn y ffordd yna sydd gan rieni weithiau, fel petai'n gwybod yn iawn nad o'n i'n iawn o gwbl. Newydd ddod adre ar ôl shifft yn yr ysbyty oedd hi, ac yn hwylio paned iddi hi ei hun.

"Yndw, tad. Pam 'dach chi'n gofyn?"

"Wel, mae'n rhaid dy fod ti'n ddigalon iawn i fwyta bwystfil o beth fel'na," meddai gan nodio at y fowlen oedd yn fy nwylo. Brownie siocled, hufen iâ siocled, a bisgedi siocled wedi eu malu'n friwsion a'u taenu dros y top. Efallai fod ganddi bwynt! Do'n i ddim yn un am sglaffio fel arfer, ond am ryw reswm, ro'n i wedi bod yn awchu am siwgr ers ymweld â Thyddyn Mwyar.

"Mae'n stori hir, Mam."

"Poeni am Nain wyt ti? Mae hi'n iawn, sti, pwt."

Roedd dydd Iau wedi cyrraedd, a Dad wedi

mynd â Nain a llond car o'i phethau i Lys Cefni. Ro'n i wedi meddwl mynd efo fo i roi help llaw, ond wnaeth Dad ddim cynnig.

"Na, dim hynny… wel, dim yn union…"

Estynnodd Mam lwy a dechrau helpu ei hun i'r slwj brown oedd yn fy mowlen. "Wel, be 'ta?"

Felly, mi ddywedais wrthi. Doedd hi ddim yn swnio'n stori fawr ar y cychwyn, ond pan ddywedais ein bod ni wedi mynd i Dyddyn Mwyar a 'mod i wedi gweld enw Hywel wedi ei sgwennu ar y wal, roedd Mam wedi rhoi'r gorau i fwyta ac wedi dechrau gwrando'n astud.

"… ac roedd 'na rywun wedi croesi ei enw fo allan, Mam! Un llinell fawr drwchus. Ac mi wn i nad ydi o'n beth mawr go iawn, a'i fod o wedi digwydd flynyddoedd maith yn ôl, ond pam?"

"Pam be? Falla bod Hywel wedi ffraeo efo rhywun, ac mai hwnnw wnaeth drio cael gwared ar ei enw. Mae pawb yn ffraeo weithia, Huw!"

Ysgydwais fy mhen. Ro'n i wedi meddwl am hynny. "Falla. A falla mai Hywel wnaeth drio cael gwared ar ei enw'i hun, falla ei fod o ofn cael row am sgwennu ar wal y tŷ allan. Ond Mam, ydi o ddim yn teimlo'n rhyfedd i chi? Fod Nain ddim wedi sôn amdano fo?"

Ysgydwodd Mam ei phen yn drist. "Mae 'na lawer iawn o bobol yn penderfynu peidio sôn am bethau sy'n codi hen atgofion poenus. Yn enwedig o genhedlaeth dy nain."

A dwi'n gwybod bod Mam yn iawn, nad oedd rheswm i mi deimlo bod rhyw ddirgelwch ynglŷn â Hywel. Ond fedrwn i ddim peidio â meddwl bod angen i mi wybod mwy. A beth bynnag, roedd gen i brosiect ysgol i'w gwblhau, yn doedd? Doedd gen i fawr o ddewis heblaw ymchwilio i hanes Hywel.

"Pam na wnei di edrych ar hen gofnodion ar y we?" gofynnodd Mam. "I weld i ba gatrawd roedd o'n perthyn yn y fyddin, ac i le aeth o, a phethau felly."

"Oes 'na bethau felly ar y we?!"

"Oes." Tynnodd Mam fy mowlen yn agosach ati ar y bwrdd – ro'n i wedi cael hen ddigon p'run bynnag. "Dwn i ddim lle, chwaith."

"Na finnau," atebais. "Ond dwi'n nabod hogan sy'n gwybod yr atebion i bob dim."

Roedd Clare a'r criw yn Nant y Pandy, rhai ohonyn nhw efo'u traed yn yr afon a'r lleill yn gorweddian ar y gwair, yr haul yn gynnes ac yn gwneud pawb yn ddiog. Eisteddais efo rhai o'r hogiau, a malu awyr am hanner awr, siarad am y sgoriau pêl-droed a chwyno am yr holl waith cartref. Doedd Kieran ddim yno, ac roedd hi'n rhyfedd gweld Clare ynghanol y genod, ei thraed noeth yn nŵr yr afon a'i gwallt yn blethau bach i gyd. Roedd hi'n giglan yn ysgafn efo Efa a Mali o'n dosbarth ni.

Bu bron i mi anghofio holi Clare am help efo'r we, a dweud y gwir. Mi ddechreuon ni chwarae pêl-droed, oedd yn syniad gwirion achos doedd 'na ddim digon o le, ac mi gymerodd hi hanner awr i ddod o hyd i'r bêl yn y gwrych.

Roedd pawb yn gadael i fynd am eu te pan gofiais i pam ro'n i wedi mynd i Nant y Pandy yn y lle cyntaf. Brysiais i ddal i fyny efo'r genod.

"Hei, Clare! Oes gen ti funud?"

Edrychodd Efa a Mali ar ei gilydd cyn dechrau piffian chwerthin. Dwi'n meddwl 'mod i wedi cochi rhyw fymryn wedyn, gan sylweddoli 'mod i'n swnio fel taswn i ar fin gofyn i Clare fynd allan efo fi. Ond doedd Clare ddim fel petai'n poeni o gwbl. Roedd hi'n wahanol i bobol eraill ein hoed ni – doedd dim ots ganddi beth roedd pobol yn ei feddwl ohoni.

"Iawn, Huw?"

"Yndw, diolch. Isio help ydw i."

Rholiodd Clare ei llygaid. Roedd pobol yn gofyn iddi am help o hyd, a hithau mor glyfar.

"Efo be rŵan?"

"Y prosiect 'ma. Mam wnaeth sôn fod posib sbio ar y we i weld cofnodion Yncl Hywel yn y rhyfel, ond sgin i ddim syniad lle i ddechrau."

"Grêt!" Fflachiodd llygaid Clare yn frwd. "Syniad da! Mi fyddi di'n cael gwybod wedyn lle'n union oedd o, a..."

"Yn union. Ond fedri di ddweud wrtha i lle i edrych?"

"Mi wna i'n well na hynny. Gad o efo fi."

A brysiodd yn ei blaen at Efa a Mali. Sibrydodd Mali rywbeth wrth y ddwy arall, a chwarddodd y tair, gan wneud i 'mochau i deimlo'n boeth i gyd.

Ar y ffordd adref, mi benderfynais fynd i weld Nain. Ro'n i wedi bod yn dychmygu sut le fyddai cartre newydd Nain, a pha mor wahanol i'w thŷ ar y stryd fawr. A dweud y gwir, do'n i ddim eisiau mynd i Lys Cefni o gwbl, a heblaw 'mod i'n teimlo'n euog nad o'n i wedi gweld Nain ers iddi symud yno, fyddwn i ddim wedi mynd.

Roedd Llys Cefni yn adeilad mawr, brics coch ar gyrion y dre, ac roedd o'n edrych fel swyddfa neu ysgol o'r tu allan. Ro'n i wedi cerdded heibio'r lle ganwaith, ond do'n i ddim yn licio sbio i mewn drwy'r ffenest, achos weithiau roedd 'na berson ofnadwy o hen a musgrell yn eistedd yn y ffenest, ac roedd gweld hynny yn gwneud i mi deimlo'n ddigalon.

Ro'n i wedi disgwyl i'r lle arogli'n union fel ysbyty – disinffectant a blodau. Ond ar ôl croesi trothwy Llys Cefni am y tro cyntaf, oglau pobi oedd yn llenwi'r lle, yr un fath yn union ag oedd yng nghegin Nain ganol gaeaf. A doedd dim derbynfa chwaith, na dynes yn eistedd y tu ôl i ddesg yn ateb ffôn. Roedd o'n union fel tŷ. Gallwn glywed sŵn teledu yn un o'r ystafelloedd.

"Ti'n iawn?" Daeth llais o un o'r ystafelloedd, a

throais i weld dyn tal, golygus efo llygaid mawr a gwallt tywyll yn gwenu arna i. Roedd ganddo un o'r wynebau yna na fedrwn i beidio â gwenu'n ôl arnyn nhw.

"Yndw, diolch. Chwilio am Nain ydw i."

Cododd y dyn ei aeliau arna i. "Wel, bydd angen iti ddweud ei henw hi, boi, achos mae'r lle 'ma'n llawn neiniau."

"O! Ia, siŵr. Sylvie Rowlands…"

Lledodd gwên y dyn, a chlapiodd ei ddwylo. "O, da iawn! Mae hi wedi bod yn sôn amdanat ti. Mae Syl yn gymeriad a hanner – 'dan ni wedi gwirioni efo hi." Ymestynnodd y dyn i ysgwyd fy llaw.

Arweiniodd y ffordd i ystafell Nain yng nghefn yr adeilad. Roedd o'n sgwrsio wrth gerdded, yn siarad am y chwyn oedd yn tyfu yn ei ardd, ond hanner gwrando o'n i. Fedrwn i ddim peidio ag edrych o'm cwmpas ar yr holl hen bobol, a phob un yn edrych gymaint yn hŷn na Nain. Mewn un ystafell roedd teledu mawr yn chwarae hen ffilm yn llawer rhy uchel, a phobol mewn cadeiriau esmwyth mewn hanner cylch o gwmpas y sgrin. Pasiodd hen ddyn oedd yn cerdded gyda chymorth dwy ffon, a gwenodd arna i. Doedd ganddo ddim dant yn ei ben. Gwenais yn ôl arno, er ei fod o braidd yn ddychrynllyd yr olwg, achos roedd o'n edrych yn ddigon clên.

"Dyma ti," meddai'r dyn wrth gyrraedd drws. "Ystafell dy nain. Dos di i mewn. Mi ddo' i â diod i chi rŵan."

"Diolch."

Ystafell fechan oedd gan Nain, ond roedd yn rhyfedd gan ei bod yn llawn o bethau cyfarwydd – ei chwpwrdd dillad a'i chreiriau a'i lluniau. Roedd ystafell ymolchi fach ar un ochr, a gwely mawr, fel gwely ysbyty, yn y canol.

Ac yn eistedd mewn cadair esmwyth yn edrych drwy'r ffenest fawr roedd Nain. Roedd ganddi nofel ar ei glin ond doedd hi ddim yn darllen chwaith – syllai ar yr olygfa dros Ynys Môn ac i fyny am fynyddoedd Eryri.

Ew! Roedd hi'n edrych yn hen. Roedd y ddynes a arferai wisgo sodlau uchel coch a llifo'i gwallt yn ddu wedi mynd. Slipars oedd ar ei thraed rŵan, ac roedd ei gwallt yn gyfan gwbl wyn.

"Nain," meddwn, ac roedd fy llais yn swnio'n ifanc iawn yn yr hen le. Trodd Nain ar ei hunion, a gwenu'n llydan.

"Huw! 'Ngwas i! Tyrd yma, tyrd i mi gael dy weld ti'n iawn."

Symudais draw ati ac eisteddais ar y gwely. Edrychai'n llawer iau pan oedd gwên ar ei hwyneb. "Ydach chi'n iawn, Nain?"

Wfftiodd Nain fel petai'n gwestiwn gwirion. "Wel, mi fyddai'n well gen i fod adre, ond dyna fo. Dwi'n mynd yn hen, tydw. Ac maen nhw'n glên iawn yma."

"Ac ma ganddoch chi olygfa well o lawer fa'ma."

"Oes! Ond wsti, dwi'n difaru na faswn i wedi cerdded pob un o'r mynyddoedd yna tra o'n i'n gallu. Ond dyna ni! O leia dwi'n cael eu gweld nhw bob dydd rŵan."

"Ydach chi'n licio byw 'ma, Nain?"

"Maen nhw'n glên, cofia. A dwi heb orfod gwneud cymaint ag un paned i mi fy hun yr holl amser! Ond mae 'na bethau dwi'n hiraethu amdanyn nhw, wsti."

Llyncais fy mhoer – do'n i ddim yn licio meddwl am ddynes gref fel Nain yn hiraethu am ddim.

"Fel be?"

Gwenodd Nain yn ddireidus. "Wel, noson jips ar nos Fawrth, yn fwy na dim. 'Dan ni'n cael tships ar bnawn Sadwrn yma, ond dydyn nhw ddim fel tships o siop." Chwarddodd y ddau ohonom, ac wedyn roedd popeth yn iawn, a buan iawn y gwnes i anghofio ein bod ni yn Llys Cefni, a bod Nain yn dechrau colli ei chof. Holodd am y gwyliau, a fy ffrindiau, a Mam a Dad. Ac mae'n rhaid fod y dyn pryd tywyll wedi sleifio i mewn a gadael diodydd i ni, achos pan droais, roedd 'na lasaid o sgwash a phaned yn aros amdanon ni.

"Chwarae teg i'r dyn," meddwn wrth gario'r baned draw at Nain.

"Pa ddyn?"

"Y ddyn wnaeth ddod â'r diodydd. Roedd o'n deud fod pawb wedi gwirioni efo chi."

Edrychodd Nain i fyny arna i, a syllu arna i o ddifrif. Roedd 'na ddagrau yn ei llygaid, ac mi ges i fraw. "Un da ydi o."

"Ydach chi'n iawn, Nain?"

"Ydw! Ydw!"

Ond doedd hi ddim, yn sydyn. Dwn i ddim beth oedd o, ond o hynny ymlaen y pnawn hwnnw, roedd Nain yn gymysglyd ac yn ailadrodd ei hun o hyd. Gofynnodd i mi sawl tro be o'n i wedi bod yn ei wneud y bore hwnnw, a phan orffennais fy niod a sefyll i adael, fe ddywedodd, "Tyrd yn ôl i 'ngweld i eto'n fuan, Hywel."

Aeth ias i lawr fy asgwrn cefn, a phengliniais yn ymyl Nain. "Huw ydw i, Nain, dim Hywel."

"Wel ia, siŵr."

"Mi ddo' i'n ôl i'ch gweld chi eto cyn bo hir, iawn?"

"Ddoi di â Hywel efo ti?"

Llyncais fy mhoer. Teimlwn yn rhy ifanc i fod mewn sefyllfa fel hyn, heb wybod beth i'w wneud. Roedd Nain wedi anghofio beth oedd wedi digwydd i Hywel. O'n i i fod i ddweud wrthi?

"Na, Nain. Mi aeth Hywel i ryfel, 'dach chi'n cofio?"

Ochneidiodd Nain ac ysgwyd ei phen. "Naddo, 'ngwas i. Aeth Hywel ddim i ryfel o gwbl."

"Huw? Wnei di ddim coelio hyn, ond…"

"Dwi'n gwybod yn barod."

Chwarae teg i Clare, roedd hi'n amlwg wedi rhedeg yr holl ffordd draw. Safodd ar garreg y drws yn fyr ei gwynt a'i hwyneb yn wrid i gyd.

"Be ti'n feddwl?"

"Ti am ddweud wrtha i fod Hywel heb fod yn y fyddin o gwbl, yn dwyt?"

Crychodd ei thalcen. "Ond sut wyt ti'n…?"

"Na'r llynges, na'r awyrlu." Ysgydwais fy mhen. Roedd gen i goblyn o gur pen. "Tyrd i mewn."

Roedd Mam a Dad wedi mynd allan am dro, ac ro'n i'n ddiolchgar – do'n i ddim yn barod i siarad efo nhw am Nain. Ond am ryw reswm, roedd siarad efo Clare yn teimlo'n iawn. Efallai am ei bod hi'n berson ffwr-bwt a di-lol. Eisteddodd y ddau ohonon ni yn y gegin, a dywedais yr hanes wrthi i gyd.

"Does 'na ddim sôn am Hywel o gwbl ar y gwefannau sy'n rhestru'r bobol wnaeth gwffio yn yr Ail Ryfel Byd," meddai Clare yn feddylgar. "Felly mae'n rhaid fod dy nain yn dweud y gwir. Ond fedra i ddim dallt y peth! Pam dweud celwydd am beth fel'na yn y lle cynta?"

"Dim syniad," atebais yn ddigalon.

"Wyt ti'n siŵr nad chdi sydd wedi camddeall?" gofynnodd Clare wedyn. "Wedi cymryd mai i'r rhyfel aeth o, heb i dy nain ddweud hynny ei hun?"

"Wir i ti, Clare. Dyna ddeudodd hi. A'r peth ydi..." Suddais yn ôl yn fy nghadair. "Do'n i ddim yn meddwl ei bod hi'r math o ddynes fyddai'n dweud celwydd. Yn arbennig am rywbeth mawr fel hyn." Doedd dim rhaid i fi ddweud mwy. Roedd Clare yn dallt yr hyn ro'n i'n ei ddweud – 'mod i wedi siomi. Pam nad oedd Nain wedi dweud wrtha i beth ddigwyddodd i Hywel go iawn, a ninnau mor agos?

"Dwi wedi chwilio'r cofnodion marwolaeth o flynyddoedd y rhyfel, rhag ofn fod Hywel wedi marw'r adeg honno, ond does dim byd," esboniodd Clare. "Fel petai o wedi diflannu oddi ar wyneb y ddaear! Mae 'na rywbeth rhyfedd am hyn i gyd, Huw."

"Be? Wyt ti'n dweud bod Hywel yn dal yn fyw?"

"Wel, dydi hynny ddim yn amhosib..."

A dyna pryd sylwais i arni.

Pluen wen arall, ar y llawr yn ymyl yr oergell. Codais oddi ar fy nghadair yn sydyn a mynd i'w nôl, a sefais yno, yn ei dal rhwng fy mys a 'mawd. Syllodd Clare arna i fel petawn i'n mynd o 'ngho.

"Be ti'n neud?"

“Pluen wen ARALL. Maen nhw ym mhob man dwi’n mynd!”

“Wel, ydyn. Mae’n haf, Huw. Mae ’na lawer o adar o gwmpas.”

“Ond ddim yn y tŷ!”

“Be ’di’r ddrama fawr, ’ta? Mae rhywun wedi cario pluen i mewn ar ei ddillad neu rywbeth! Does ’na ddim dirgelwch mawr i’r peth!”

“Ti ddim yn dallt!”

Cododd Clare ar ei thraed. “Yli, Huw, dwi ’mond yn trio dy helpu di, ocê? A dwi’n gweld bod pethau’n anodd i ti, efo dy nain a ballu, felly dwi am faddau i ti am fod mor wiyrd. Ond plis, dos i’r gwely’n gynnar, a jyst anghofia am bopeth am chydig ddyddiau.” Trodd ar ei sawdl a gadael. Ro’n i’n teimlo’n euog am dipyn, ond erbyn i Mam a Dad ddod adre ryw hanner awr yn ddiweddarach, ro’n i’n cysgu’n drwm ar y soffa.

8

BYG OEDD O, meddai'r doctor – rhyw fath o ffliw haf. Ro'n i'n meddwl 'mod i wedi cael ffliw droeon o'r blaen, ond mae'n debyg mai annwyd trwm oedd gen i'r troeon hynny, a bod ffliw yn llawer, llawer gwaeth. Ar ôl symud o'r soffa i 'ngwely, cysgais drwy'r nos, a thrwy'r diwrnod wedyn, tan i Mam gyrraedd adre o'r gwaith am chwech.

Daeth adre i dŷ tawel, a chymryd 'mod i allan efo fy ffrindiau. Ac wedyn, wrth iddi ddechrau paratoi swper, mi glywodd sŵn gweiddi o fy llofft. Ro'n i'n chwys i gyd, meddai hi, ac yn gweiddi am fwyar duon a cholomennod. Mi gafodd Mam goblyn o sioc, achos ro'n i'n dal i weiddi, hyd yn oed ar ôl deffro. Mae hynny'n digwydd efo gwres uchel, meddan nhw – rydach chi'n gweld pethau sydd ddim yno.

Dwi'n cofio dim am y dyddiau yna. Mae'n rhaid 'mod i wedi bod yn sâl go iawn, achos fe arhosodd

Mam adre o'i gwaith am dridiau i edrych ar fy ôl i, ac i wneud yn siŵr 'mod i'n yfed digon o ddŵr. Ac yna, un min nos, deffrais o ganol yr hunllef. Yr un un eto – y cysgod y tu allan i ddrws fy llofft, rhywun yn fy ngwylio i'n cysgu. Ond pan ddeffrais, roedd y cysgod wedi diflannu, ac roedd Dad yn eistedd yn y gadair yn fy llofft, yn edrych ar ei ffôn.

"Faint o'r gloch ydi hi?"

Edrychodd Dad i fyny, a gwenu'n llydan. "Wel! Sbia pwy sy'n ôl ar dir y byw! Mae'n amser te, boi. Ond mi rwyt ti wedi bod allan ohoni ers dyddiau."

"Icsgob! Do wir?"

"Do. Hen ffliw cas. Ond rwyt ti'n edrych llawer gwell rŵan."

Edrychais o gwmpas fy llofft. Roedd fy llygaid yn teimlo'n wahanol am 'mod i wedi bod yn cysgu cyhyd, ac roedd Mam wedi tacluso. Dwi ddim yn meddwl bod fy llofft wedi bod mor dwt â hynny erioed o'r blaen.

"Ydi Nain yn iawn?"

"Nain? Ydi. Pam, boi?"

"Mi es i i'w gweld hi cyn mynd yn sâl."

"Ew, do? Wnaeth hi ddim sôn."

"Tydi hi heb fynd yn sâl, naddo?"

"Ma hi'n hollol iawn, Huw. Paid â phoeni amdani."

Ac wedyn fe wnaeth Dad rywbeth nad oedd o wedi ei wneud ers talwm – mi estynnodd o lyfr a'i ddarllen yn uchel i mi. Roedd o'n un o fy hen ffefrynnau, llyfr antur am blant yn trio datrys dirgelwch. Dwi'n meddwl mai llyfr i blant iau oedd o, a dweud y gwir, ac efallai ei fod o'n swnio'n rhyfedd i chi – tad yn darllen i rywun deuddeg oed sy'n gallu darllen yn berffaith – ond dyna'n union ro'n i ei angen ar y pryd. Roedd rhywbeth yn gysurlon iawn am glywed ei lais yn adrodd y geiriau.

Erbyn dechrau pennod dau, ro'n i'n cysgu eto. Mi gefais freuddwyd, hefyd – un o'r breuddwydion clir yna sy'n aros efo chi am amser hir, nid un o'r hunllefau oedd wedi bod yn llygru fy nghwsg yn ddiweddar. Ro'n i yn nhŷ Nain, yn hen dŷ Nain ar y stryd fawr, ac roedd hi'n dywyll, a sŵn rhywun yn symud i fyny'r grisiau. Er bod arna i ofn, fedrwn i ddim peidio â dringo'r grisiau'n araf i weld pwy neu beth oedd yn gwneud y sŵn. Sefais yn ymyl drws llofft Nain, a chlustfeinio. Roedd rhywun yno, a sŵn crio mawr, ac yn araf, araf, gwthiais y drws ar agor.

Yno, yn sefyll yn llofft Nain, roedd y dyn pryd tywyll o Lys Cefni, ei fochau'n wlyb gan ddagrau a phlu gwynion yn disgyn o'i gwmpas fel eira.

Deffrais yn sydyn. Roedd hi'n ganol nos, a Dad wedi mynd. Roedd pob man yn dawel a llonydd, a'r unig oleuni'n dod o'r lampau stryd oren y tu allan. Ond roedd digon o oleuni i mi weld un peth gwyn ar flancedi duon fy ngwely – pluen wen, wedi ymddangos o nunlle tra o'n i'n cysgu.

9

FE HOFFWN I ddweud fod pethau wedi symud ymlaen yn sydyn ar ôl hynny, ond nid fel yna mae bywyd go iawn. Am bob diwrnod anturus, difyr, mae 'na ddegau o ddyddiau normal, diflas. Ac fel'na roedd hi dros yr wythnosau wedyn. Mi wellais yn reit sydyn, a mynd yn ôl i dreulio fy nyddiau efo fy mêts yn Nant y Pandy neu'n chwarae gêmau cyfrifiadur adre neu yn nhŷ Kieran. Weithiau, roedd Clare efo ni, ond wnaethon ni ddim siarad am Hywel wedyn, ac fe benderfynodd Kieran a finnau adael y prosiect tan y funud olaf wedi'r cyfan. Doedd gen i ddim amynedd. Wrth gwrs, roedd 'na ran ohona i eisiau gwybod beth oedd wedi digwydd i Hywel, ond roedd cymaint o bethau difyrrach i'w gwneud na meddwl am hynny eto. A rhywsut, doedd chwilio am Hywel ddim yn teimlo mor bwysig rŵan, gan fod Nain yn ddedwydd yn Llys Cefni.

Ro'n i'n mynd i'w gweld hi bron bob dydd, ac

yn gweld y dyn pryd tywyll bob tro. Chwarae teg, roedd o wastad yn falch iawn i 'ngweld i, ac er na chawson ni erioed sgwrs hir iawn, roedd o'n dweud wrtha i beth oedd Nain wedi bod yn ei wneud, ac yn holi sut o'n i. Ro'n i'n meddwl bod Llys Cefni'n lwcus iawn i gael dyn fel fo'n gweithio yno.

Ambell dro, byddwn i'n cyrraedd ystafell Nain ac yn clywed y ddau, Nain a'r dyn, yn sgwrsio ac yn chwerthin gyda'i gilydd, ac roedd rhywbeth yn wahanol yn chwerthiniad Nain pan oedd hi efo fo. Fel petai'n hogan ifanc eto. Unwaith, clywais y ddau yn canu 'Adar Mân y Mynydd' efo'i gilydd, a chwarae teg iddo, roedd y dyn yn gwybod pob un gair. Bron nad o'n i'n teimlo'n euog yn torri ar eu traws.

Fedra i ddim dweud bod Nain yn gwella. Os rhywbeth, roedd hi'n fwy ffwndrus, ond eto, doedd hi ddim fel petai'n ddigalon o gwbl. Weithiau, byddwn yn cael sgwrs go dda efo hi a chwerthin am bethau gwirion, fel yn yr hen ddyddiau, ond dro arall, doedd hi ddim yn siŵr iawn pwy o'n i. Dywedodd y dyn pryd tywyll fod hynny'n arferol.

"Paid â phoeni amdani, Huw," meddai wrth fy ngweld i'n gadael yn ddigon penisel un prynhawn.

"Mae o'n llawer gwaeth i ti nag ydi o iddi hi. Mae hi'n anghofio'n ddigon sydyn, cofia."

"Ond mae'n anodd ei gweld hi fel hyn. Yn enwedig gan fod ei chof wedi gwaethygu mor sydyn." Safodd y ddau ohonon ni yn nrws y cartref nyrsio, gan edrych allan ar yr ardd.

"Wyt ti wedi ystyried, Huw, efallai na wnaeth o ddigwydd mor sydyn â hynny wedi'r cyfan? Dy fod ti'n sylwi mwy rŵan? Achos mae 'na arwyddion fel arfer, ond weithiau dydi pobol ddim eisiau eu gweld nhw." Gwenodd y dyn yn drist.

"Dyna mae Mam a Dad yn ei ddweud," atebais. "Ei bod hi wedi bod yn anghofus ers blynyddoedd. Ac mae'n siŵr eu bod nhw'n iawn."

"Wel, mae'n ddynes ffodus iawn mewn llawer o ffyrdd, cofia. Mae 'na lawer o'r hen bobol yma sydd heb gael ymwelydd ers blynyddoedd, ond mae dy nain yn cael rhywun bob dydd!"

"Blynyddoedd? Go iawn?" Aeth cryndod drosta i wrth feddwl am hynny.

Nodiodd y dyn. "Ac mae dy nain yn un dda am sgwrsio, ac mae'n mwynhau dweud ei hanes. Bore 'ma, ges i glywed popeth amdani hi a Hywel yn blant bach yn Nhyddyn Mwyar…"

Troais yn sydyn i edrych ar y dyn. “Mae Nain wedi bod yn siarad am Hywel?”

Nodiodd y dyn, a throdd ei lygaid at yr ardd. “Ydi.”

“Be ddwedodd hi? ’Dan ni wastad wedi meddwl bod Hywel wedi marw yn y rhyfel, ond y gwir ydi nad aeth o i ryfel o gwbl. Falla ei fod o’n dal yn fyw!”

Gwenodd y dyn. “Gofyn iddi, Huw.” A throdd y dyn, a diflannu i mewn i’r cartref nyrsio gan hymian ‘Adar Mân y Mynydd’.

Wyddoch chi’r teimlad pan ’dach chi’n trio anghofio rhywbeth, ond mae’r byd fel petai’n mynnu eich atgoffa chi? Wel, fel’na ro’n i’n teimlo yn ystod wythnosau olaf gwyliau’r haf. Mi wnes i chwarae dwn i ddim faint o gêmau pêl-droed, a gwylio llwythi o ffilmiau, a bwyta degau o fagiau o greision ar lannau’r afon. Roedd fy ffrindiau’n mynd a dod drwy’r gwyliau, y rhan fwyaf ohonyn nhw yn mynd i ffwrdd i Sbaen neu Ffrainc neu i barc antur. Ond gan fod Mam a Dad yn gweithio mwy neu lai drwy'r amser, chawson ni ddim mynd i unman. Doedd fawr o ots gen i. O leia roedd Kieran gen i.

Wel, doedd o ddim yno o hyd chwaith. Roedd o wedi mynd i drwbwl efo'i fam am ei fod o wedi aros ar ei draed drwy'r nos yn chwarae gêmau, ac am ei fod o wedi bwyta tri pitsa mewn diwrnod a hithau wedi dweud wrtho am beidio. Felly chafodd o ddim mynd allan am dridiau cyfan. A doedd hynny'n dal ddim yn ddigon i droi Kieran oddi ar ei bitsas.

Bwyta pitsa oedden ni un min nos, a dweud y gwir, yn eistedd ar fainc ar sgwâr y farchnad. Roedd Clare efo ni hefyd, am fod gweddill y criw wedi mynd adre neu i ffwrdd ar wyliau. Doedd y tri ohonon ni heb fod efo'n gilydd ar ein pennau'n hunain ers talwm.

"'Dach chi *yn* sylweddoli y bydd rhaid i ni neud y gwaith cartref 'ma cyn bo hir?" meddai Kieran.

Ochneidiais. Do'n i heb wneud stroc o waith, ac roedd gen i waith cartref ym mron pob un pwnc.

"Dwi 'di gorffen," atebodd Clare yn sionc.

"Be?! Bob dim?" Bu bron i Kieran boeri drosti.

"Do. Achos do'n i ddim eisiau bod yn y sefyllfa rydach chi'ch dau ynddi hi rŵan, yn gorfod panicio a brysio."

Ymestynnais i'r bocs i nôl un darn arall o bitsa. "Dim ots. Mae 'na wythnos gyfa' o wyliau ar ôl."

"Be wnei di am dy brosiect hanes, rŵan dy fod ti wedi methu dod o hyd i wybodaeth am dy Yncl Hywel?" gofynnodd Clare.

"Ei wneud o am rywun arall, am wn i. Nain, falla."

"Doedd hi ddim yn y rhyfel!" meddai Kieran.

"Na, dim ond hogan fach oedd hi. Ond mae'n siŵr ei bod hi wedi cael ei heffeithio ganddo, yn do? Efo'r dogni a ballu."

"Be?"

"Dogni! Pan doedd 'na ddim digon o fwyd i bawb, felly dim ond hyn a hyn oeddat ti'n cael prynu bob wythnos. Dim lot o dda-das na siocled," atebodd Clare yn wybodus.

"Be am bitsa?" Stwffiodd Kieran ddarn cyfan, bron, yn ei geg.

"Ti'n rêl idiot weithia, sti, Kieran," dywedais dan wenu.

"Diolch!" atebodd yntau, a'i geg yn llawn.

Cliriais fy llwnc ar ôl i ni orffen y pitsa. "Ga' i ofyn rhywbeth i chi?"

"Ocê," atebodd Clare, yn ansicr braidd.

"'Dach chi'n gaddo peidio chwerthin?"

"Wel, na, dwi ddim yn gaddo. Os wyt ti'n gofyn cwestiwn am bi-pi yn dy wely, neu am ffansïo Mrs Elis Maths, mi *wna* i chwerthin," meddai Kieran.

"O ddifri 'ŵan. 'Dach chi'n coelio mewn ysbrydion?"

Trodd Clare i edrych arna i, un ael yn pwyntio am i fyny. "Be? Nac ydw, siŵr."

"Wel, jyst meddwl o'n i. Kieran? Wyt ti'n meddwl bod 'na ffasiwn beth, 'ta dim ond hen lol ydi o?"

Ro'n i'n hanner disgwyl i Kieran chwerthin ac wfftio'r syniad, ond er mawr syndod i mi, edrychodd i ffwrdd am ychydig, a brathu ei wefus waelod yn feddylgar. "Wel, dydw i 'rioed 'di gweld dim. Ond mae Mam yn taeru ei bod hi wedi gweld un."

"Do wir?"

"Do. A tydi hi ddim y math o ddynes sy'n licio hen lol, nac ydi?"

"Nac ydi." Roedd mam Kieran yn ddynes uchel ei chloch, yn annwyl iawn, ond fyddech chi ddim eisiau ei chroesi hi. A dweud y gwir, roedd 'na rywbeth yn debyg i Clare ynddi hi.

"Meddylia am y peth yn rhesymegol, Huw! Os oes 'na ffasiwn beth ag ysbrydion, pam nad oes unrhyw un wedi gallu profi'r peth? Dim un llun na fideo!"

Fedrwn i mo'i hateb hi. Roedd hi yn llygad ei lle.

"Pam wyt ti'n gofyn?" holodd Kieran.

"Wel… dwn i ddim, a dweud y gwir. Mae o'n swnio mor wirion pan dwi'n ei ddweud o'n uchel…"

Edrychodd Clare a Kieran arna i'n ddisgwylgar.

"Wel, mae 'na blu…"

"O, dim y plu 'ma eto!" meddai Clare yn ddiamynedd. "Huw, dwi wedi dweud wrthat ti o'r blaen! Mae hi'n haf, ac mae 'na adar, ac mae 'na blu o gwmpas y lle ym mhob man."

"Dwi'n gwybod hynny," atebais, gan drio peidio â cholli amynedd. "Ond maen nhw mewn llefydd mor od, llefydd annhebygol."

"Fel ble?" gofynnodd Kieran mewn penbleth.

"Mi ddechreuodd o yn nhŷ Nain, pan oedd hi'n dal i fyw yno. Roedd hi'n meddwl fod 'na dderyn yn nythu yn y to, a phlu yn syrthio i lawr y simnai."

"Sy'n esboniad hollol resymol," ychwanegodd Clare.

"Wel, ydi. Ond roedd y plu wastad yn lân, heb lwch na glo na dim arnyn nhw. Ac wedyn, mae 'na rai wedi ymddangos mewn llyfrau, mewn droriau, hyd yn oed ar fy ngwely!"

"Aros am eiliad," meddai Kieran mewn penbleth. "Ti'n meddwl bod 'na ysbryd aderyn yn dy ddilyn di?"

"Ydw! Wel… nac ydw! O, dwi ddim yn siŵr. Ond mae o'n rhyfedd, dydi?"

Cododd Clare oddi ar y fainc, a thaflu'r bocs pitsa gwag i'r bin. "Dwi'n meddwl ei bod hi'n amser i chdi stopio meddwl am ysbrydion, a dechrau meddwl am faint o drwbwl fydd yn d'aros di yn yr ysgol os nad wyt ti'n gorffen dy waith cartref. Dwi'n gorfod mynd rŵan. Fyddwch chi o gwmpas fory?"

"Dwi wedi gaddo helpu Dad i glirio chydig ar dŷ Nain," atebais yn ddigalon. Do'n i ddim yn edrych ymlaen at hynny o gwbl.

Nodiodd Clare, ac ar ôl iddi drefnu i gwrdd â

Kieran drannoeth yn y llyfrgell, i ffwrdd â hi am adre.

"Gwell i mi fynd, hefyd," meddai Kieran. "Mi fydd Mam yn flin os ydw i'n hwyr i swper."

"Swper? 'Dan ni newydd gael pitsa!"

"Ydan, ond tydi hi ddim yn gwybod hynny!"

Dechreuodd Kieran gerdded i ffwrdd, ond wedyn pwyllodd a throi'n ôl. "Mi fedra i ofyn i Mam, os lici di. Am y plu. *Mae* o'n rhyfedd, tydi?"

"Diolch, Kieran."

"Ma Clare yn hogan iawn a ballu, ond dwi ddim yn meddwl ei bod hi'n dallt fod 'na rai pethau dydi rhywun ddim yn medru esbonio."

Cerddodd Kieran i ffwrdd, gan fy ngadael i'n syllu ar ei ôl yn gegagored. Doedd gen i ddim syniad ei fod o'n meddwl pethau mor ddwys.

10

ROEDD TŶ NAIN wedi ei adael yn union fel roedd o pan symudodd hi i Lys Cefni. Roedd hyd yn oed y llestri'n dal i sychu wrth y sinc, a bwyd yn dal yn yr oergell. Dyna oedd fy ngorchwyl gyntaf – taflu'r llefrith wedi suro a'r bara sych. Ac yna, safodd Dad a finnau yng nghanol y gegin, ddim yn siŵr beth i'w wneud nesaf.

"Pam mae angen clirio'r tŷ, beth bynnag?" cwynais. "Efallai y daw Nain yn ei hôl…"

Llygadodd Dad fi, a doedd dim rhaid iddo ddweud 'run gair. Gwyddai'r ddau ohonon ni na fyddai Nain yn dychwelyd i fyw yno.

"Ydach chi am werthu'r tŷ?" gofynnais.

"Dwi ddim yn siŵr eto. Dydw i ddim isio gwneud, ond efallai bydd rhaid. Ond yn y cyfamser, gwell i ni wneud yn siŵr fod popeth yn lân ac yn daclus, a'n bod ni'n mynd â holl drysorau Nain i'n tŷ ni i'w cadw'n saff. Dwi ddim yn licio meddwl am yr holl luniau a llythyron a ballu mewn tŷ gwag."

"Ond Nain sydd pia nhw!"

"Wel, ia siŵr. Nain wnaeth awgrymu ein bod ni'n mynd â nhw adre, Huw. Mae hi'n barod i ni edrych ar eu holau nhw rŵan."

Nodiais yn dawel. Roedd yr eiliad hon fel petai'n bwysig iawn i'n teulu ni.

Yr ystafell wely fach yng nghefn y tŷ oedd y lle i ddechrau, gan mai fan'no roedd Nain yn cadw'r rhan fwyaf o'i thrysorau. Roedd cist fawr wrth droed y gwely bach, a chwpwrdd pren mawr yn y gornel. Aeth Dad a fi yno gyda bocs mawr yr un, a dechreuodd o drwy agor y gist a phacio pecynnau o luniau i mewn i'w focs.

"Ydach chi ddim yn mynd i sbio ar y lluniau?" gofynnais yn frwd.

"Ddim rŵan. Os dechreua i edrych, mi fyddan ni yma drwy'r dydd a fyddwn ni ddim wedi pacio dim. Mi gawn ni bori drwyddyn nhw pan 'dan ni adre."

Fe ddechreuais i drwy agor y cwpwrdd mawr. Roedd o'n deimlad ofnadwy, fel petawn i'n busnesu ym mhethau Nain ac yn eu dwyn. Fedrwn i ddim peidio â meddwl amdani yn Llys Cefni, yn eistedd wrth y ffenest, a ninnau yma yn ei chartref hi.

Doedd y gwaith ddim mor anodd ag ro'n i wedi ei ofni, chwaith. Roedd bocs sgidiau yn llawn o dystysgrifau a llythyron, a byddai'r rheiny yn amlwg yn dod efo ni. Des o hyd i bâr o slipars newydd sbon, a'u rhoi nhw ar y gwely'n barod i fynd i Lys Cefni. Roedd y rhan fwyaf o'r gweddill yn hen anrhegion roedd Nain wedi eu cael a heb eu defnyddio – swigod bath, sebon, peiriannau i'w defnyddio yn y gegin. Dywedodd Dad wrtha i y dylwn i roi'r rheiny mewn bag, ac y byddan ni'n mynd â nhw i siop elusen wedyn. Peth rhyfedd fod cymaint o'r pethau yna hefyd. Mae'n rhaid fod pobol wastad yn prynu'r un math o anrhegion i ferched oed Nain.

Roedd bocs bach glas yng nghanol yr anrhegion, ac agorais i o heb feddwl, gan ddisgwyl gweld rhyw golur neu eli-oglau-da roedd Nain wedi eu cael gan ryw gymydog tua Nadolig 2004. Ond nid hen anrheg anghofiedig oedd yn y bocs glas.

"Hei Dad, sbïwch!" Codais, a symud draw at Dad, oedd yn sortio hen gardiau pen-blwydd. Cynigiais y bocs iddo, a thynnodd Dad y fedal fetal ar ruban o'r tu mewn.

"Bobol bach!" meddai. "Dwi heb weld hwn ers blynyddoedd."

"Be ydi o?"

"Medal gafodd dy hen daid yn y Rhyfel Byd Cyntaf. Roedd o'n falch iawn ohoni."

"Tad Nain oedd o, ia? O Dyddyn Mwyar?"

"Ia, dyna ti."

"Ydach chi'n ei gofio fo?"

"Ydw, ond ddim yn dda iawn. Ro'n i tua saith oed pan fuodd o farw."

"Sut ddyn oedd o?"

Roedd Dad yn dawel am ychydig, fel petai'n trio dod o hyd i eiriau clên i'w dweud. "Roedd o'n hen ffasiwn. Doedd ganddo fo ddim llawer o ddiddordeb mewn plant bach fel fi."

"Wir?" Cofiais mor dda roedd Nain wedi bod efo fi pan o'n i'n fach.

"Roedd o'n llym, braidd. Byth yn gwenu. Ond dyna fo." Ochneidiodd Dad a rhoddodd y fedal yn ôl yn y bocs. "Mae'n siŵr fod ganddo fo ei resymau."

Rhoddais y bocs gyda'r lluniau a'r llythyron. Roedd o'n drysor.

Ro'n i bron â gorffen gwagio rhan waelod y cwpwrdd pan welais i o.

Llythyr, meddyliais, a phlicio'r amlen o'r lle

roedd hi wedi syrthio i lawr y cefn. Edrychais ar yr ysgrifen ar yr amlen.

Nid dy fai di. x

Dwn i ddim pam aeth ias i lawr fy asgwrn cefn pan welais i'r geiriau – wedi'r cyfan, doedden nhw'n golygu dim i mi. Ond roedd rhywbeth mwy na hynny. Teimlwn fod pob man wedi mynd yn dawel, dawel.

Agorais yr amlen, a syllu i mewn iddi, cyn gwagio'r cynnwys ar fy llaw.

Un bluen wen.

11

"Ti'n ocê?"

"Yndw. Ti?"

"Iawn. Wedi bod yn gweithio yn y llyfrgell. Mi wylltiodd Clare efo fi."

"Pam?"

"Roedd hi'n deud 'mod i'n trio'i chael hi i wneud fy ngwaith cartref i."

"Ac oeddat ti?"

"Oeddwn, siŵr!" chwarddodd Kieran, a finnau hefyd.

Ro'n i wedi ymlâdd ar ôl treulio drwy'r dydd yn nhŷ Nain, ac mae'n amlwg fod Kieran wedi cael diwrnod hir hefyd. Roedd ei lais yn swnio'n flinedig ar y ffôn.

"Sut ddiwrnod gest ti yn nhŷ dy nain?"

"Go lew." Penderfynais beidio dweud wrtho am y bluen wen yn yr amlen. Ro'n i'n rhy flinedig i esbonio. "Ond dwi 'di blino rŵan. Mae Dad yn sôn ei fod o am drio rhentu'r lle, er mwyn cael pres i dalu am le Nain yn y cartref henoed."

"Syniad da. Yli, Huw… Wsti'r sôn am yr holl blu yna? Ac mi wnes i addo y byddwn i'n holi Mam?"

"Ia…"

"Wel, mi wnes i, ac roedd hi'n dweud eu bod nhw'n arwydd da! Rhywbeth i'w wneud efo angylion neu rywbeth…"

"O. Reit," atebais yn fflat. Peidiwch â 'nghamddeall i, mae angylion yn grêt, ond doedd o ddim yn ateb fy nghwestiynau o gwbl.

"Ia, dwi'n gwybod. Ond yli, mi wnes i chwilio amdano fo ar y we."

"Chwilio am be?"

"Wel, teipio 'white feather' i'r blwch chwilio a gweld beth oedd yn dod. Ac mae o'n eitha difyr, sti, ac yn eitha rhyfedd."

"Be?"

"Wel, wsti yn y Rhyfel Byd Cyntaf, roedd pobol yn rhoi pluen wen i'r dynion oedd ddim yn ymuno â'r cwffio. Roedd o'n ffordd o godi cywilydd arnyn nhw."

"Ond dydi hynna'n ddim byd i'w wneud efo fi!"

"Ti'n gwneud prosiect am y rhyfel!"

"Yr Ail Ryfel Byd, yndê? Er… dwn i ddim. Diolch am chwilio, Kieran."

"Wela i di yn y llyfrgell fory?"

"Ia, iawn."

Pwysais y botwm i orffen yr alwad. Roedd rhywbeth yn crafu yng nghefn fy meddwl, fel petai gen i gliwiau i ryw ddirgelwch mawr, ond yn methu ei ddatrys. Plu, a Thyddyn Mwyar, a Hywel, a Nain, a'r colomennod… Ro'n i'n siŵr eu bod nhw'n golygu rhywbeth…

Ochneidiais. Byddai'n rhaid i'r gwaith ditectif aros tan fory. Ro'n i'n rhy flinedig i feddwl. Codais, a cherdded i'r gegin i nôl diod o lefrith. Roedd Mam a Dad yn eistedd wrth y bwrdd, yn edrych trwy hen luniau Nain.

"Sbia ar hwn!" meddai Dad, gan basio llun du a gwyn i mi.

"Nain?" gofynnais, gan adnabod yr hen ddynes yn wyneb y ddynes ifanc yn y llun. Ond doedd hi ddim yn gwenu'n llawen fel y byddai Nain. Roedd hi'n gwenu, ond braidd yn stiff, fel petai wedi ei gorfodi i wenu i'r camera. Y tu ôl iddi safai ei thad, y dyn yn y llun oedd ar wal cegin tŷ Nain, ac roedd o'n syllu'n oeraidd ar y camera.

Roedd y ddau'n edrych yn anhapus iawn.

"Dwi ddim yn licio'r llun," meddwn, gan ei basio'n ôl i Dad. "Mae hi'n edrych yn drist."

"Ew!" meddai Mam. "Sbia ar hwn 'ta! Mae enw Hywel ar y cefn. Dydw i heb weld llun ohono fo fel oedolyn o'r blaen."

Rhewodd y byd i gyd o'm cwmpas.

Mae'n rhyfedd, yr hyn sy'n digwydd i chi pan ydach chi'n gweld rhywbeth gwirioneddol anhygoel. Mae'r sŵn o'ch cwmpas chi fel petai'n diflannu, ac yn sydyn, rydach chi'n ymwybodol iawn o bob peth bach o'ch cwmpas chi – lliw'r teils ar lawr y gegin, arogl coffi, yr awel yn dod i mewn o'r ardd drwy'r ffenest agored. Ac wedyn, mae'ch meddwl yn troi'n ôl at y peth anhygoel, a does dim byd arall yn y byd.

A'r unig bethau yn y byd yn ystod yr eiliadau hynny oedd fi, a wyneb cyfarwydd Hywel yn syllu'n ôl arna i.

Ac roedd y wyneb yn gyfarwydd iawn. Ro'n i wedi ei weld o droeon. Ro'n i'n adnabod ei gerddediad, ei lais, a hyd yn oed ei chwerthiniad, achos ro'n i wedi ei weld o sawl tro. Roedd y peth yn amhosib. Roedd y llun yn hanner canrif oed, o leiaf, ac eto, doedd y dyn yn y llun heb newid dim.

"Camgymeriad ydi hyn," meddwn yn wan, a throdd Mam a Dad i edrych arna i ar unwaith wrth glywed mor sigledig oedd fy llais. "Nid llun o Hywel ydi hwn."

"Ia. Dwi'n cofio'i weld o pan o'n i'n hogyn bach," esboniodd Dad. "Wyt ti'n iawn, Huw?"

"Ond hwn… hwn ydi'r dyn sy'n gweithio yn Llys Cefni!" A throais ar fy sawdl, a rhedeg allan drwy'r drws tuag at Lys Cefni, a Mam a Dad yn dynn ar fy sodlau.

12

ROEDD ORIAU YMWELD wedi pasio, a doedd staff Llys Cefni ddim wedi disgwyl gweld hogyn ifanc yn rhedeg i mewn drwy'r drws gyda golwg wyllt yn ei lygaid a slipars am ei draed. Edrychodd pawb i fyny mewn syndod wrth i mi sefyll yno, yn ceisio cael fy ngwynt ataf.

"Be yn y byd sy'n mynd ymlaen yma?" gofynnodd dynes ifanc mewn gwisg debyg i wisg nyrs. "Cartref nyrsio ydi fa'ma, nid trac rasio!"

"Nain," esboniais, yn fyr fy ngwynt.

"Wel, mae'n ddrwg gen i os wyt ti eisiau gweld dy nain, washi, ond mi fydd rhaid i ti aros tan oriau ymweld. Mae hi bron yn amser gwely!"

"Plis... Dwi jyst isio gwneud yn siŵr ei bod hi'n iawn!"

Gwelais fymryn o gydymdeimlad yn wyneb y ddynes, a chymerais fod hynny'n arwydd y cawn i fynd i weld Nain. Ochneidiodd y ddynes, ond wnaeth hi mo'n stopio i.

Roedd Nain yn ei gwely yn barod, ond roedd hi'n syllu tua'r drws, fel petai'n aros am rywun. Gwenodd pan welodd hi fi.

"Ew! Do'n i ddim yn dy ddisgwyl di!"

Eisteddais ar erchwyn ei gwely. "Am bwy oeddach chi'n aros 'ta, Nain?"

Edrychodd i ffwrdd am eiliad, a rhoddais fy llaw dros ei dwylo. "Am Hywel, ia?"

Dihangodd deigryn o lygad Nain, ac ymlwybro i lawr ei grudd grychiog. "Ti wedi ei weld o hefyd, yn do? Ro'n i'n meddwl 'mod i'n ei ddychmygu o, ond dwi'n gwybod dy fod ti wedi ei weld o."

"Do, Nain. Dim eich dychymyg chi oedd o."

"Rydw i wedi teimlo mor euog, ers amser mor hir. Ond mae o'n dweud ei fod o wedi maddau i mi."

"Be ddigwyddodd, Nain?"

Dim ond hogan fach oedd hi. Ac rydan ni i gyd yn gwneud pethau gwirion pan ydan ni'n fach. Ond dwi'n meddwl bod Nain wedi difaru ar hyd ei bywyd yr hyn wnaeth hi pan oedd hi'n iau.

Un hwyliog oedd Hywel, ac un addfwyn iawn. Byddai'n edrych ar ôl Sylvie, ei chwaer fach, ac yn ei dysgu am bethau difyr, fel sut i ddal pysgod o'r afon heb wialen na rhwyd, a sut i beidio bod ofn y nadroedd mawr oedd yn torheulo ar y lôn. Natur oedd pleser mawr Hywel, a fo wnaeth ddangos i Sylvie sut i edrych ar ôl y colomennod, sut i siarad yn glên efo nhw a mwytho'u plu yn ysgafn. Pan gafwyd dwy golomen wen ryw haf, hawliodd Sylvie un, a Hywel y llall. Byddai'r ddau'n treulio oriau yn gofalu am yr adar, yn chwerthin gyda'i gilydd ac yn tynnu coes.

Ond doedd eu tad ddim yn gweld unrhyw fath o jôc.

Dyn hen ffasiwn oedd o, dyn nad oedd wedi gwenu'n iawn ers dychwelyd o'r Rhyfel Byd Cyntaf flynyddoedd ynghynt. Nid ei fod o'n ddyn creulon, chwaith, ond roedd fel petai wedi anghofio sut i fwynhau bywyd.

Byddai'n dweud wrth ei blant am y rhyfel. Yn sôn am sŵn y bomiau, a'r gynnau mawrion, a'r holl bethau dychrynllyd a welodd. Roedd Sylvie'n cael hunllefau weithiau, yn gweld dynion wedi eu rhwygo'n ddarnau gan fomiau, a'r llygod mawr yn bwyta cyrff y meirw. Credai Sylvie nad oedd 'run dyn mor ddewr â'i thad ar wyneb y ddaear. Doedd arno ofn dim.

"Ond roedd yna ddynion oedd yn llawn ofn," meddai ei thad wrthi hi a Hywel un noson, wrth i sôn fod Ail Ryfel Byd ar y ffordd ddechrau llenwi'r papurau newydd. "Yn gwrthod mynd i gwffio." Syllodd ar Hywel wrth ddweud yr hanes. "Ac roedd y dynion hynny'n cael eu cywilyddio. Byddai pobol yn rhoi pluen wen iddyn nhw, fel symbol o'r gwarth." Edrychodd Hywel i ffwrdd.

Pan ddaeth yr ail ryfel mawr erchyll, a bechgyn y pentref yn ymhyfrydu yn eu lifrai smart, dychwelodd Sylvie o'r ysgol un diwrnod i glywed ffrae fawr yn y gegin. Eisteddodd y tu allan, dan y ffenest, i glustfeinio.

"Dydw i ddim yn coelio mewn rhyfel!" meddai Hywel yn daer. "Dydw i ddim eisiau lladd dynion eraill!"

"Dy le di ydi gwarchod dy deulu, a dy wlad!" bytheiriodd ei dad. "Rhaid i ti fod yn ddewr!"

Ac am ei bod hi newydd weld hogiau eraill y pentref yn ei gwisgoedd smart, ac wedi clywed y genod eraill yn yr ysgol yn brolio eu brodyr dewr, teimlodd Sylvie swigen o wylltineb yn chwyddo y tu mewn iddi. Roedd ei thad yn iawn! Pam na fedrai Hywel fod fel pawb arall?

Cododd Sylvie a rhedeg i'r tŷ allan yng nghefn y tyddyn. Safodd ar sedd y toiled, a defnyddio llafn hen lechen i geisio rhwbio enw'i brawd oddi ar y wal. Yna, aeth i'r cwt bach pren lle roedd y colomennod yn byw, ac ymestynnodd at golomen wen ei brawd. Pinsiodd un bluen rhwng ei bys a'i bawd, a rhoi plwc sydyn iddi. Gwingodd yr aderyn mewn poen.

Roedd Hywel wedi penderfynu mynd allan am dro, a gwelodd ei chwaer fach ar y lôn y tu allan i Dyddyn Mwyar. Mewn golygfa a arhosodd yn ei meddwl i'w phoenydio am weddill ei bywyd, camodd Sylvie at Hywel yn araf, ac ar y diwrnod braf hwnnw, rhoddodd un bluen wen yng nghledr ei law.

Roedd Nain yn crio wrth ddweud yr hanes. Safai Mam, Dad a'r nyrs yn y drws yn gwrando ar y cyfan.

"Mi ddiflannodd Hywel y noson honno. Ond cyn iddo fynd, mi ddaeth i fy llofft i, a gadael y bluen, efo nodyn."

"Nodyn yn dweud 'Nid dy fai di'!" ebychais. "Mi ddois o hyd iddo fo yn eich tŷ chi."

"Felly wnaeth o ddim gweld bai arna i, er 'mod i wedi gwneud peth ofnadwy," esboniodd Nain. "Ac un fel'na oedd o. Byddai o'n maddau'r byd i unrhyw un."

"Ond dwi ddim yn dallt," meddai Dad. "Mae Huw'n dweud ei fod o wedi gweld Hywel yma! Yn Llys Cefni!"

Ond, wrth gwrs, doedd Hywel ddim yno, a doedd neb tebyg iddo yn gweithio yno. Welodd neb unrhyw ddyn tebyg i'r disgrifiad hwnnw, heblaw am Nain a finnau. Roedd o wedi ymddangos o nunlle.

Erbyn i ni glywed y stori gyfan, roedd hi wedi tywyllu y tu allan, a Nain wedi ymlâdd. Sychais ei dagrau, a gaddo dod yn ôl i'w gweld hi y diwrnod wedyn. Roedd hi'n cysgu erbyn i mi adael yr ystafell.

"Mae'n ddrwg gen i darfu arnoch chi fel hyn," meddai Mam wrth y nyrs. Gwenodd hithau'n fwyn.

"Peidiwch â phoeni. Mae'n goblyn o stori dda i'w dweud wrth fy ffrindiau!"

Cerddodd Mam, Dad a finnau drwy'r drysau mawr, ac am adre. Teimlwn fel petawn i wedi rhedeg marathon.

"Sbïwch!" ebychodd Dad, a throdd y tri ohonom i edrych. Ar sil ffenest Nain, roedd dwy golomen wen yn swatio'n gynnes, yn goleuo'r nos efo'u plu gwynion.

13

MAE PETHAU WEDI newid erbyn hyn.

Fe roddais fy mhrosiect hanes i mewn. 'HYWEL ROWLANDS' oedd ei enw, ac roedd o'n dweud ei hanes o, a dynion eraill fel fo, oedd wedi gwrthod mynd i ryfel. Dywedodd Miss Matthews ei bod hi'n ymdrech deg. Iddi hi, roedd hynny'n ganmoliaethus iawn.

Roedd Llys Cefni wedi rhoi bwrdd adar y tu allan i ffenest llofft Nain, ac roedd hi wrth ei bodd yn syllu ar yr adar bach yn bwydo. Roedd y colomennod gwynion wedi nythu mewn coeden gyfagos, ac roedd Nain wedi gwirioni efo nhw.

Welais i byth mo ysbryd Hywel wedyn. Gofynnais i Nain a oedd hi'n dal i'w weld o, ac mi ddywedodd gyda gwên fach ei fod o'n dal i ddod draw weithiau. Dwi ddim yn gwybod ai ei dychymyg hi oedd hynny, ond doedd fawr o ots. Roedd hi'n fy ngalw i'n Hywel yn aml, a doedd dim mymryn o ots gen i.

Roedd Kieran a Clare yn dal i ffraeo, ond roedden ni'n tri'n dal yn fêts hefyd. Helpodd y ddau i ddod o hyd i wybodaeth am Hywel. Doedd hynny ddim yn anodd, yn y diwedd. Diolch i gofrestr etholiadol, ac ambell erthygl bapur newydd, roedd stori Hywel wedi dod yn glir. Ar ôl gadael Tyddyn Mwyar ym 1939, aeth i weithio ar fferm yn Eryri, ac wedyn gweithiodd mewn gwarchodfa natur yn gofalu am yr anifeiliaid a'r planhigion. Priododd ddynes o'r enw Elen, a bu'r ddau'n byw mewn tyddyn bach ar un o'r mynyddoedd tan iddyn nhw farw. Roedd y tyddyn yn edrych i lawr dros Ynys Môn.

Roedd Hywel wedi marw ar ddiwrnod olaf y tymor ysgol. Ar y diwrnod y dois i o hyd i'r bluen gyntaf yn fy nghas pensiliau.

Un prynhawn, gyrrodd Mam, Dad, Nain a finnau i'r pentref bach yn Eryri, a dod o hyd i fedd Hywel a'i wraig. Ro'n i'n meddwl y byddai Nain yn ypsetio, ond wnaeth hi ddim. Eisteddodd ar y glaswellt yn ymyl y bedd, yn edrych yn berffaith fodlon. Gosododd dusw o flodau haul ar y pridd.

Ro'n i wedi prynu plu arbennig, plu bob lliw o siop grefftau ym Mangor. Ro'n i wedi defnyddio edau gwyn i'w clymu nhw i gyd fel mwclis mawr, a chrogais y plu o gwmpas y garreg fedd. Roedd yn edrych yn hyfryd – yn lliwiau llachar piws, glas, oren, melyn, fel plu aderyn egsotig yn chwifio yn yr awel.

"Diolch, 'ngwas i," gwenodd Nain. "Mi fyddai Hywel wrth ei fodd." A dechreuodd ganu 'Adar Mân y Mynydd' yn ysgafn dan ei gwynt.

Rydw i'n dal i weld ambell bluen wen weithiau, ar y stryd neu'n dawnsio ar y gwynt. Efallai nad arwyddion ydyn nhw, cofiwch. Efallai fod Hywel wedi mynd go iawn am byth bellach. Ond maen nhw wastad yn f'atgoffa i o'r haf hwnnw, yr haf hyfryd a dychrynllyd pan ddechreuais i goelio mewn pethau oedd ddim yn bod.

Hefyd gan yr awdur:

£5.95

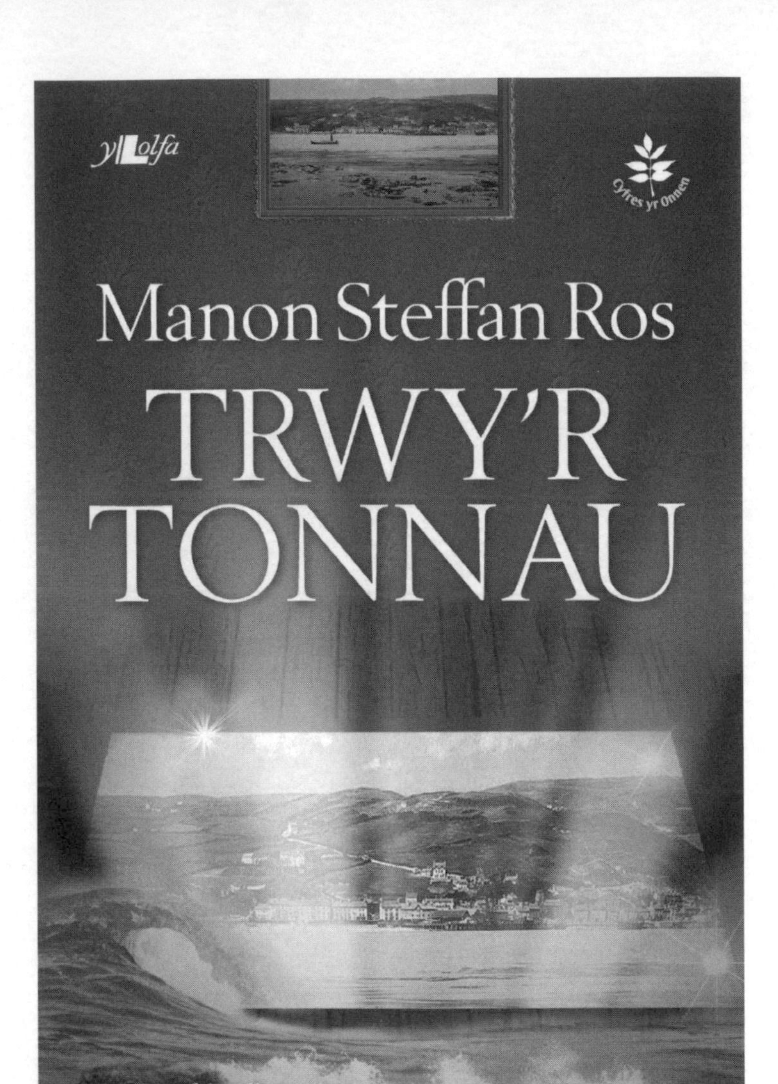
y Lolfa
Cyfres yr Onnen
Manon Steffan Ros
TRWY'R TONNAU
"Nofel gyffrous, llawn cychwyn ..." Mair Williams

£5.95

£5.95

£3.95

Am restr gyflawn o lyfrau'r Lolfa, mynnwch
gopi am ddim o'n catalog
neu hwyliwch i mewn i'n gwefan

www.ylolfa.com

lle gallwch archebu llyfrau ar-lein.

TALYBONT CEREDIGION CYMRU SY24 5HE
ebost ylolfa@ylolfa.com
gwefan www.ylolfa.com
ffôn 01970 832 304
ffacs 832 782